DESIGNER'S GUIDE TO

graphics

GRAPHIC IDEAS
FOR FASTER, BETTER LAYOUTS

LEONARD KOREN
AND
R. WIPPO MECKLER

ANGUS
& ROBERTSON
PUBLISHERS

ANGUS & ROBERTSON PUBLISHERS

16 Golden Square, London WIR 4BN,
United Kingdom and Unit 4, Eden Park,
31 Waterloo Road, North Ryde, NSW,
Australia 2113.

First published in the United Kingdom
by Angus & Robertson (UK) in 1989.
First published in Australia by Angus &
Robertson Publishers in 1989.

First published in the United States
as *Graphic Design Cookbook,*
copyright © 1989.

Designer's Guide to Graphics
Copyright © 1988 Leonard Koren
and R. Wippo Meckler.

Printed in Japan.

ISBN 0 207 16479 7

INTRODUCTION

• Every day thousands of graphic designers and art directors across the country sit down to confront a new design problem. Frequently, their first impulse is to browse through piles of books, magazines, whatever, to help unstick their brain glue: to de-habitualize their approach to problem solving and to find fresh inspiration for those all-important first few decisions in the design process.

The *Designer's Guide to Graphics* offers a stimulating and economical route through hundreds of archetypal graphic design devices, thinking styles, and spatial solutions. The templates it presents, culled from thousands of sources and never set down in one place before, make it easy for the designer to examine, compare, relate, abstract, and deduce visual ideas, cutting down to minutes what would otherwise be hours of browsing so the designer can get down to "cooking" faster.

The *Designer's Guide to Graphics* is organized into five chapters that reflect a conceptual bias toward publication design. Chapter 1, "Structuring Space," looks at the empty page as a geometric entity ready for subdivision. Chapter 2, "Orienting on the Page," considers content-bearing elements – heads, bullets, folios, etc. – that define the space of a page. Chapter 3, "Text Systems," explores various ways of handling copy and display type. Chapter 4, "Ordering Information," presents outlines and other hierarchical arrangements of information on a page. And Chapter 5, "Pictorial Considerations," deals with various schemes for enhancing the content value of imagery.

If the foregoing chapter by chapter explanation sounds a bit abstract, forget it. The organization of the *Designer's Guide to Graphics* should be self-evident after you work with it for a while. The ideas developed within each chapter, and within each section within each chapter, progress like music in a basic rhythm of repeating cycles, from simple to complex.

The few words used – the titles at the bottom of the pages – are not meant to be labels locking one into a specific mode of perception. They are meant only to suggest and differentiate the various kinds of information graphic designers often consider when problem solving. It must be remembered that particular design elements and schemes may be relevant to many different design contexts. A box in the section titled "Page Partitioning into Rectilinear Spaces" (page 35) can represent merely a way of dividing up the page, but it can also represent a block of text type, a headline, a photographic image, or a gray bar. The appendix beginning on page 139 might suggest some of these alternative uses.

Effective mixing and matching and synthesizing of these various elements, concepts, and schemes is what graphic design is largely about. As you would with a culinary cookbook, jump into the *Designer's Guide to Graphics* anywhere. Use it as a runway to your imagination, a catalyst to cook up endless new design "recipes." •

CONTENTS

ORIENTING ON THE PAGE

TEXT SYSTEMS

ORDERING INFORMATION

PICTORIAL CONSIDERATIONS

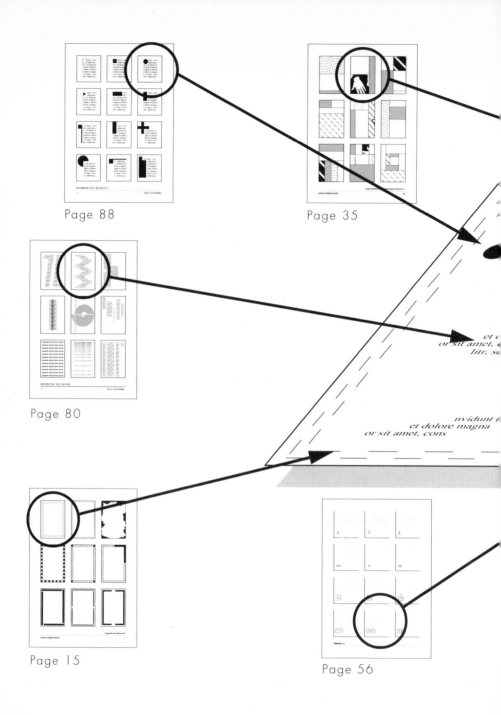

Page 88

Page 35

Page 80

Page 15

Page 56

HOW TO USE THIS BOOK*

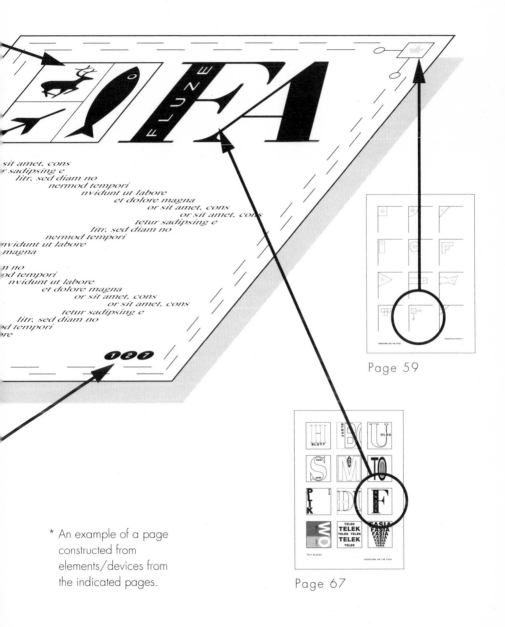

sit amet, cons
r sadipsing e
litr, sed diam no
nermod tempori
nvidunt ut labore
et dolore magna
or sit amet, cons
or sit amet, cons
tetur sadipsing e
litr, sed diam no
nermod tempori
nvidunt ut labore
magna

n no
od tempori
nvidunt ut labore
et dolore magna
or sit amet, cons
or sit amet, cons
tetur sadipsing e
litr, sed diam no
od tempori
re

Page 59

* An example of a page
  constructed from
  elements/devices from
  the indicated pages.

Page 67

STRUCTURING
SPACE

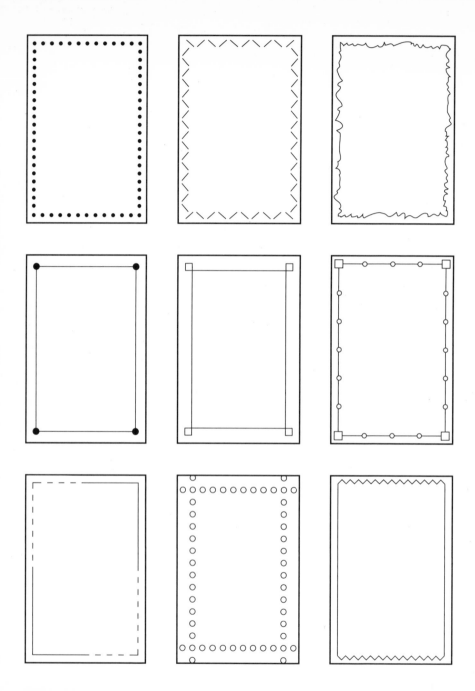

PAGE BORDER DEVICES #1

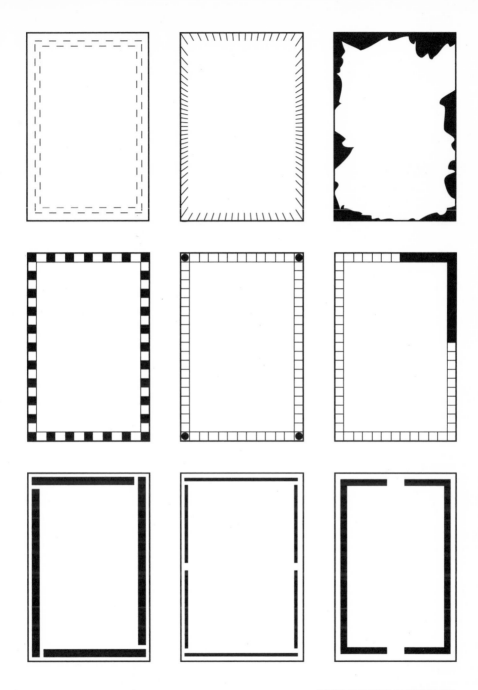

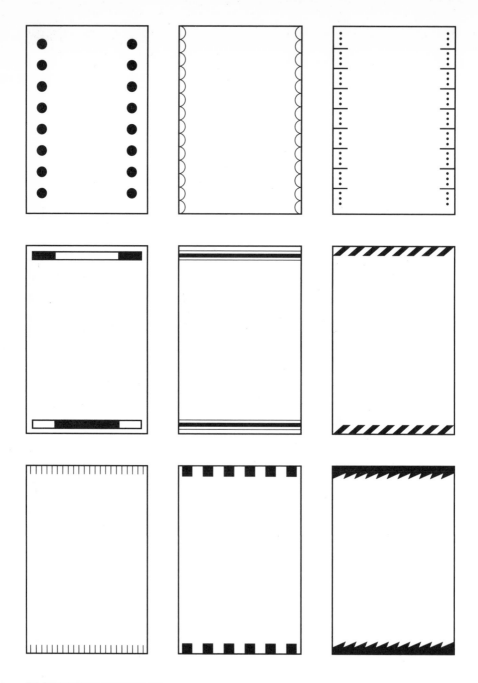

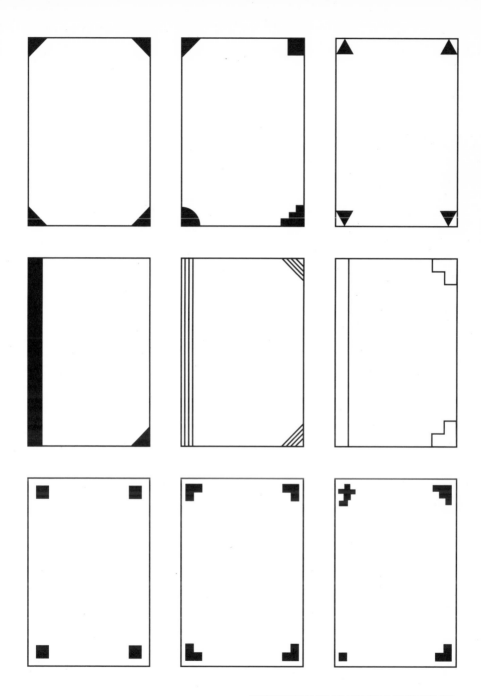

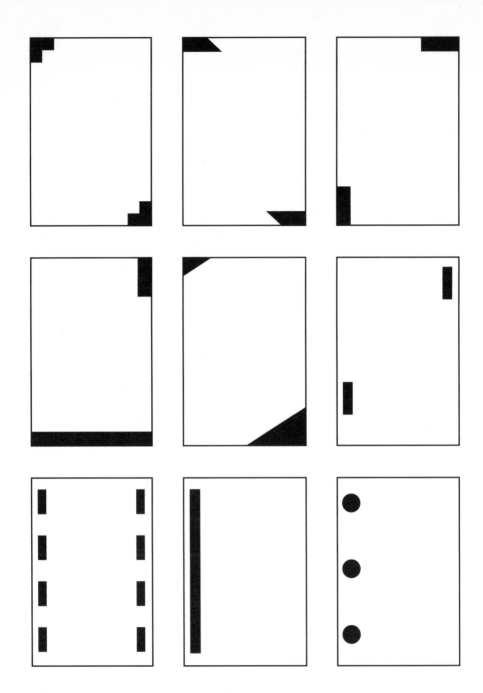

MINIMALIST PAGE BORDER DEVICES #2

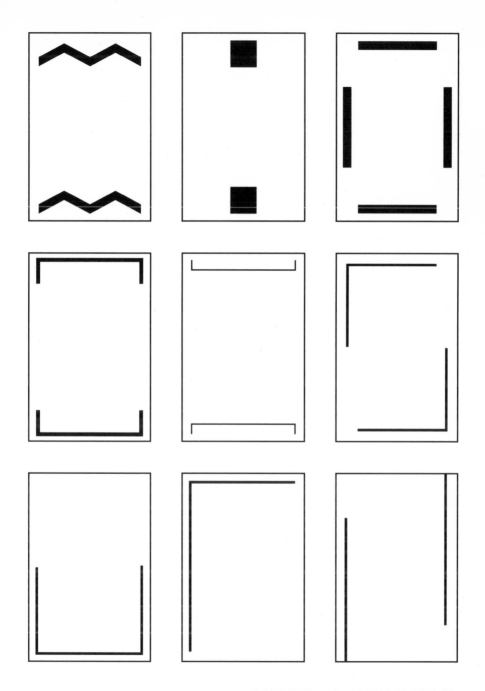

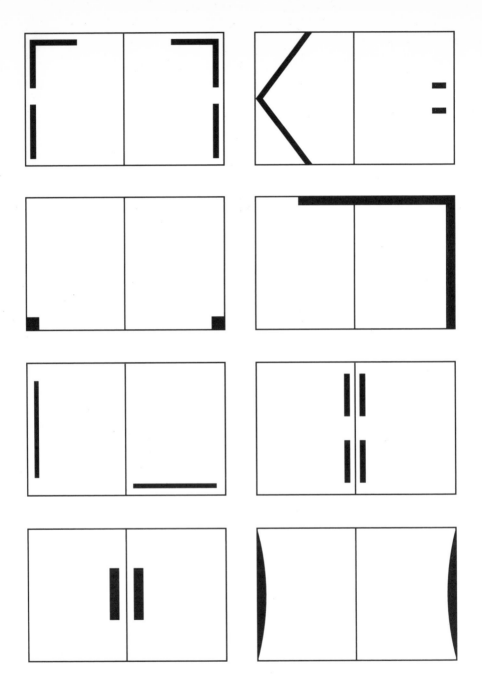

MINIMALIST PAGE BORDER DEVICES #4

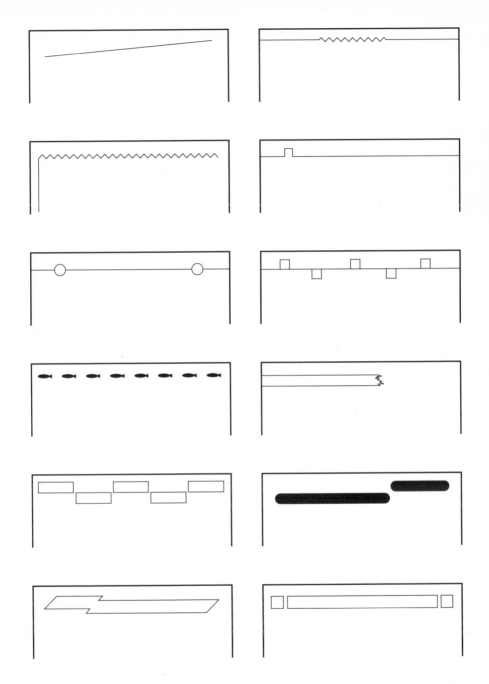

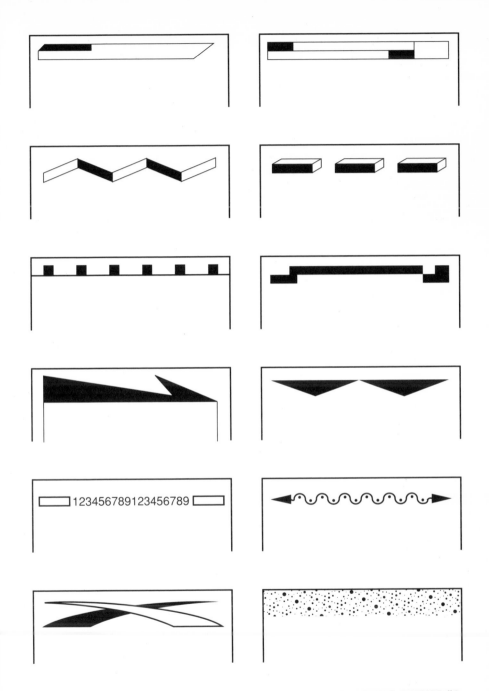

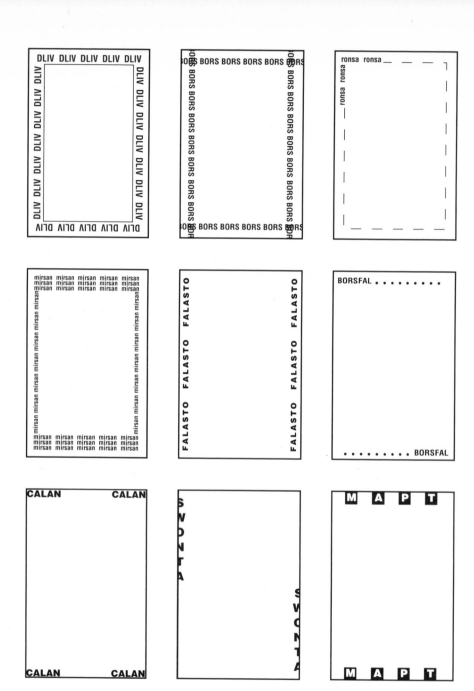

WORD PAGE BORDER DEVICES #1

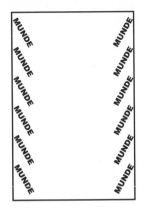

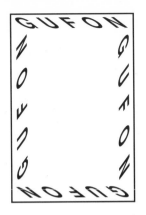

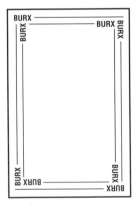
(H-I-D-A-S-N border)

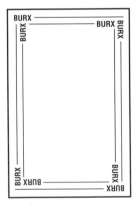

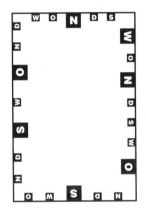

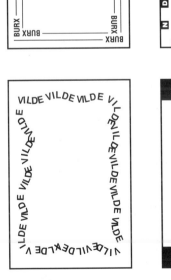

PICTORIAL PAGE BORDER DEVICES

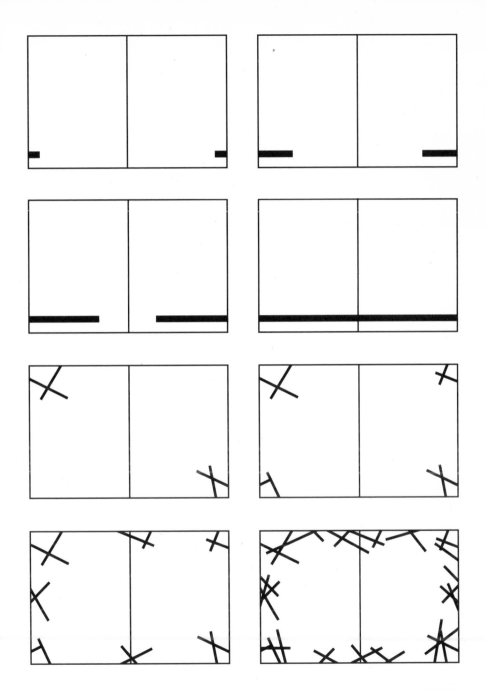

PROGRESSIVE PAGE BORDERING DEVICES #2

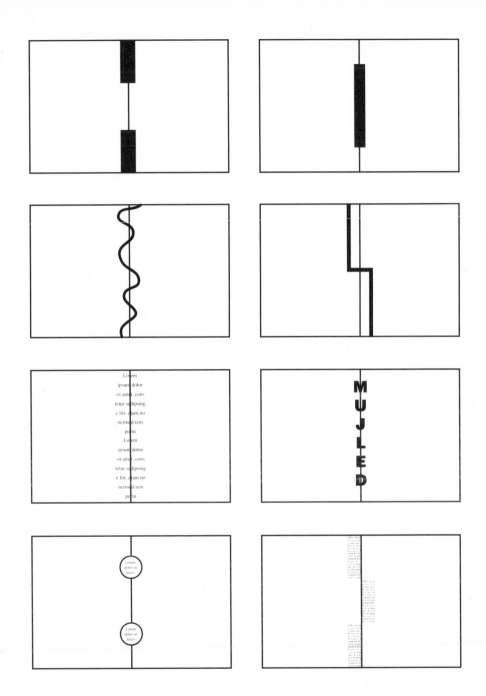

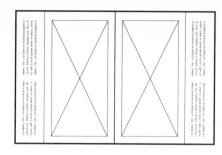

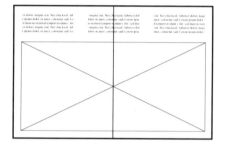

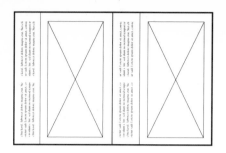

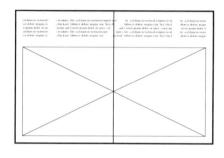

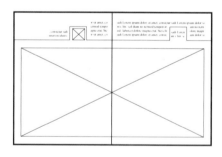

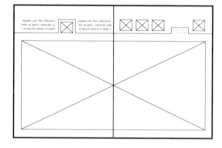

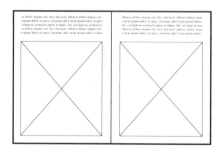

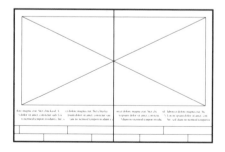

EDGE OF PAGE PARTITIONING #1

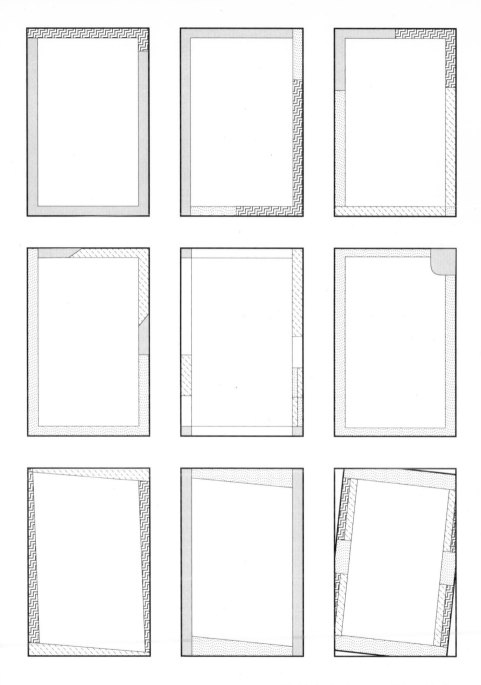

EDGE OF PAGE PARTITIONING #2

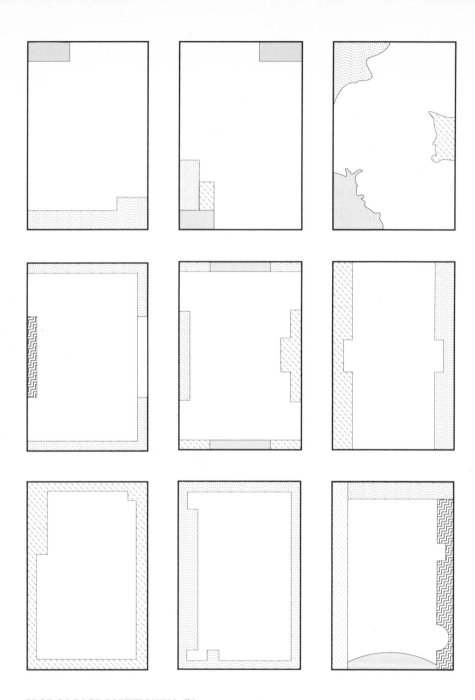

EDGE OF PAGE PARTITIONING #3

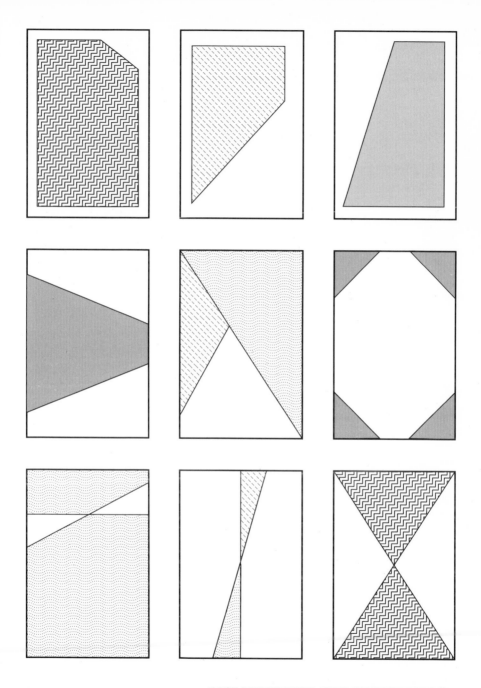

STRUCTURING SPACE

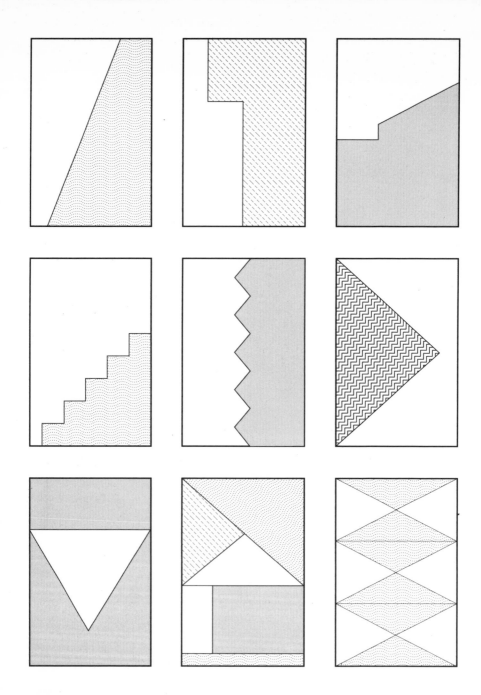

PAGE PARTITIONING WITH STRAIGHT LINES #2

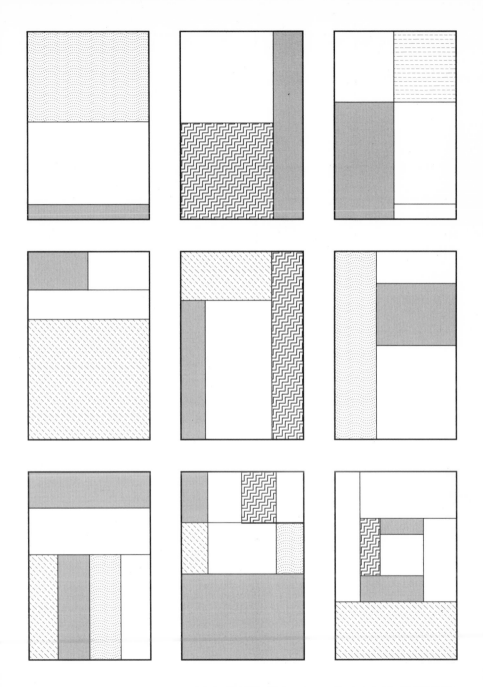

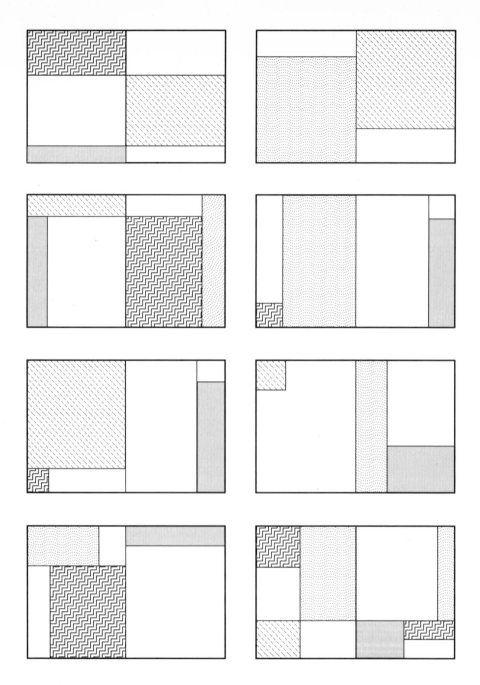

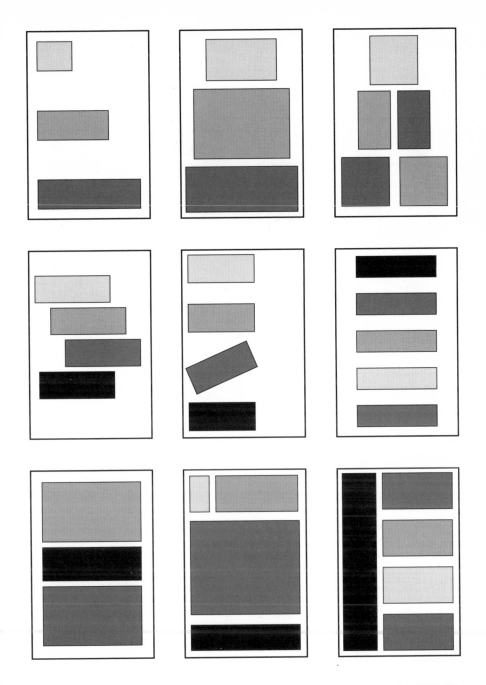

DIVISION OF PAGE INTO RECTILINEAR BOXES #1

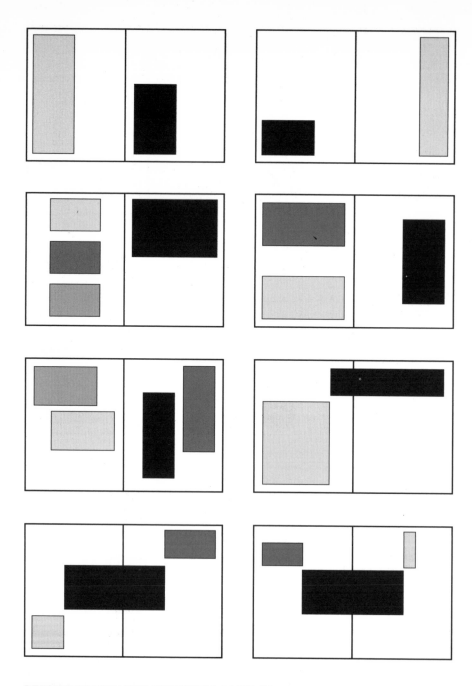

DIVISION OF PAGE INTO RECTILINEAR BOXES #2

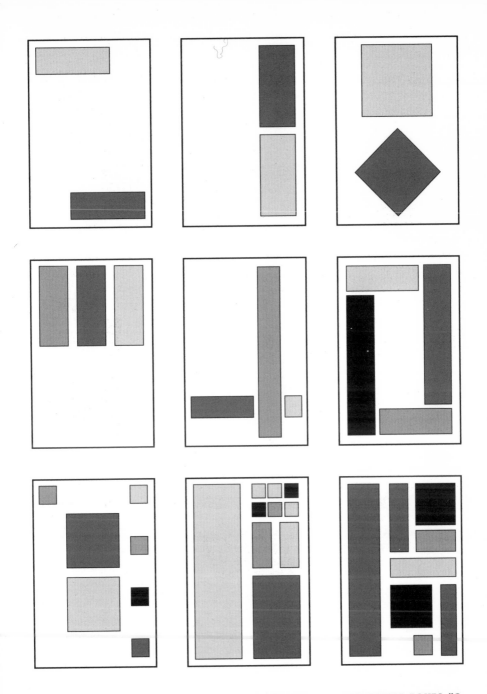

DIVISION OF PAGE INTO RECTILINEAR BOXES #3

DIVISION OF PAGE INTO ECCENTRIC BOXES

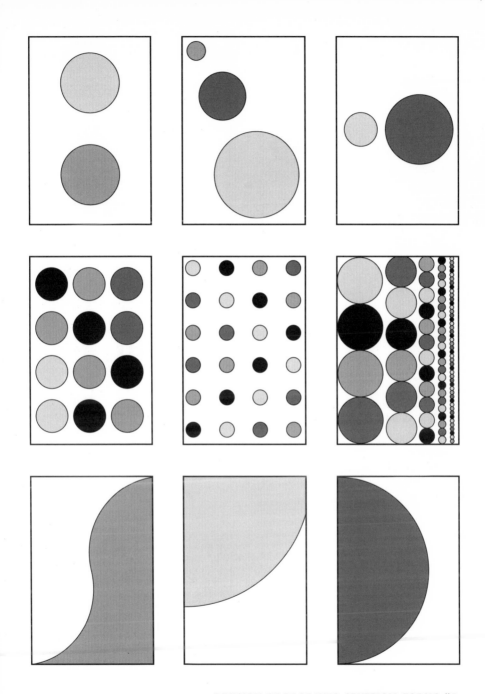

DIVISION OF PAGE INTO SPHERICAL FORMS #1

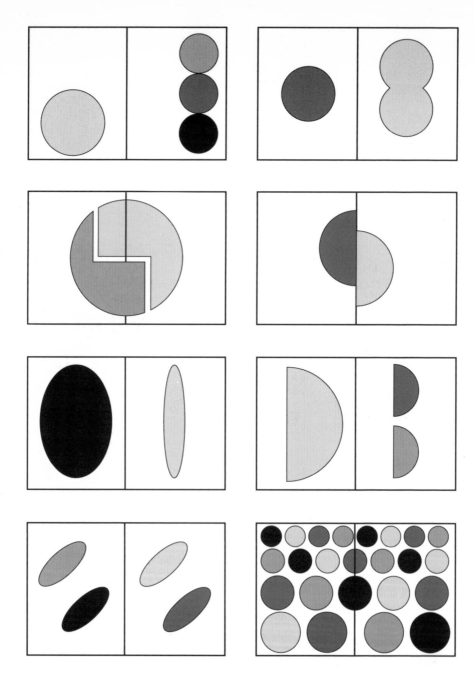

DIVISION OF PAGE INTO SPHERICAL FORMS #2

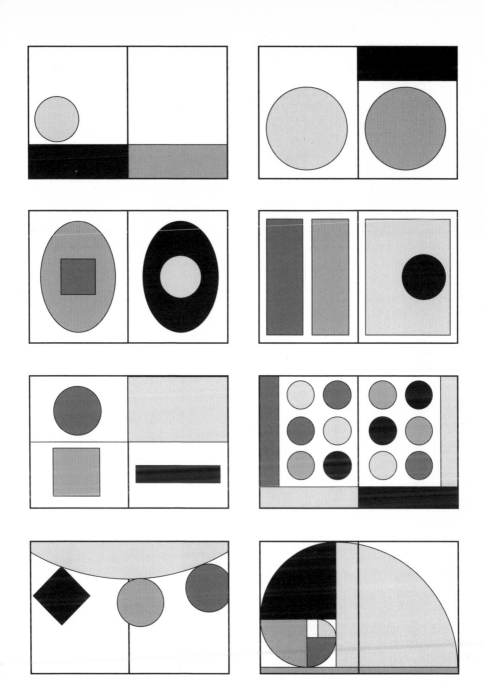

DIVISION OF PAGE INTO SPHERICAL AND RECTILINEAR FORMS

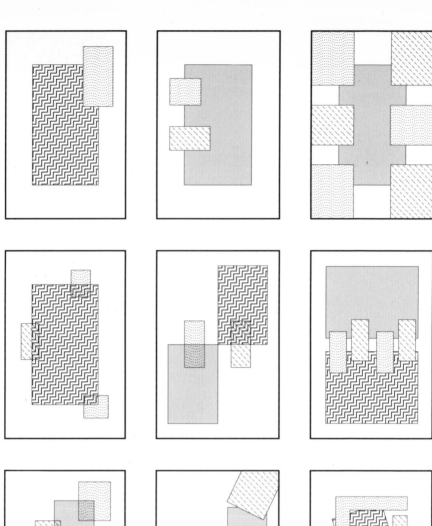

OVERLAPPING SPACES #1

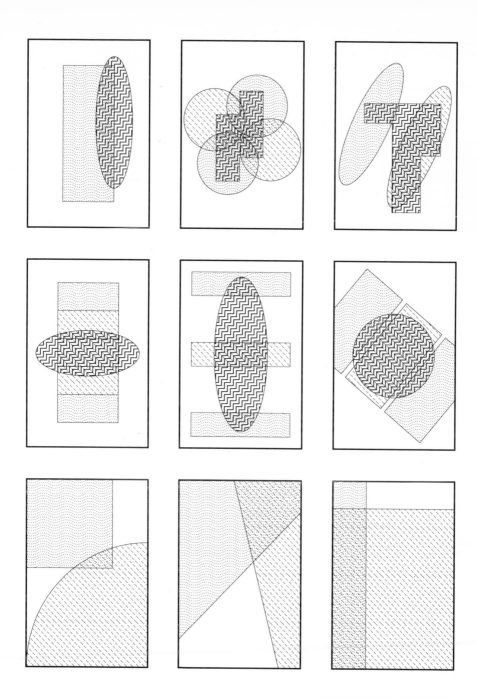

STRUCTURING SPACE

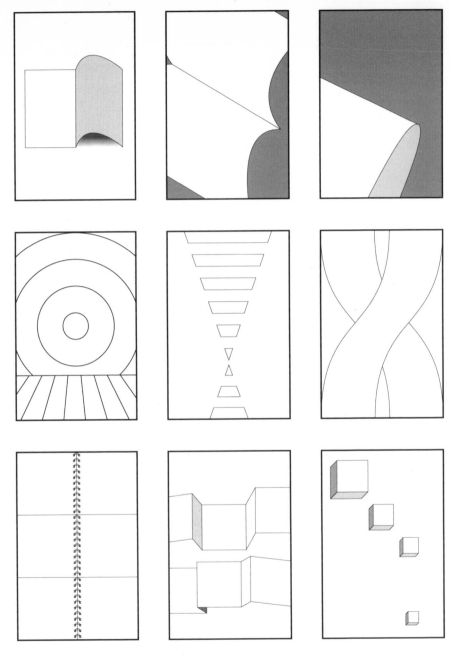

PAGE DIVISION WITH ILLUSIONARY DEVICES #1

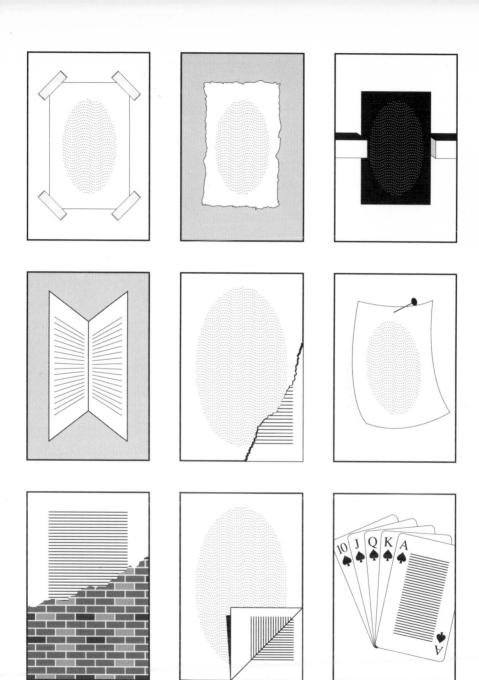

PAGE DIVISION WITH ILLUSIONARY DEVICES #2

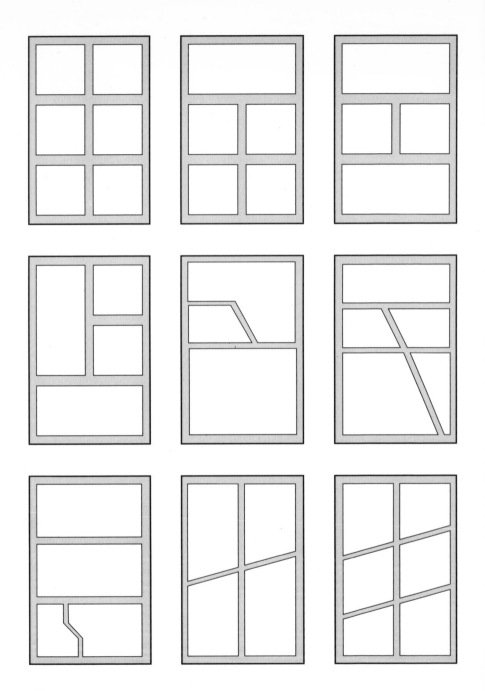

COMIC BOOK LAYOUT SCHEMES #1

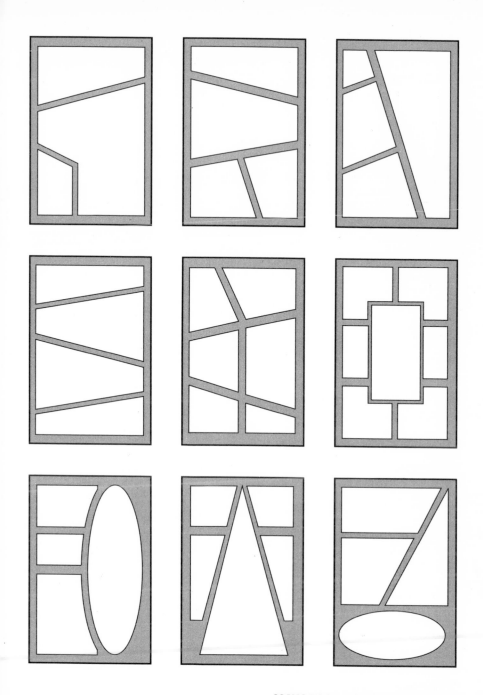

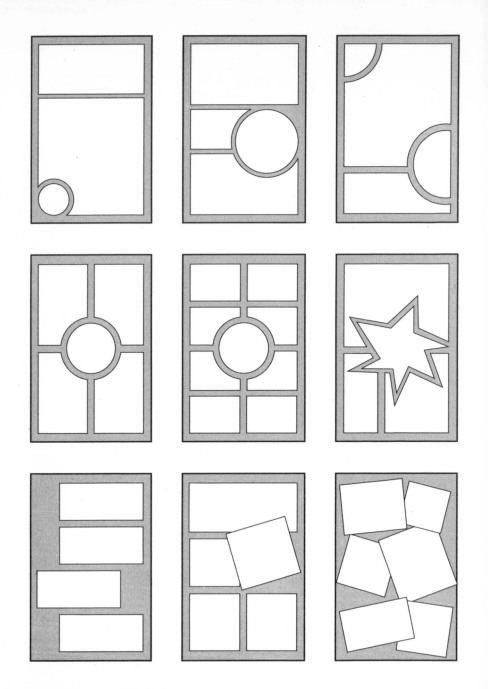

COMIC BOOK LAYOUT SCHEMES #3

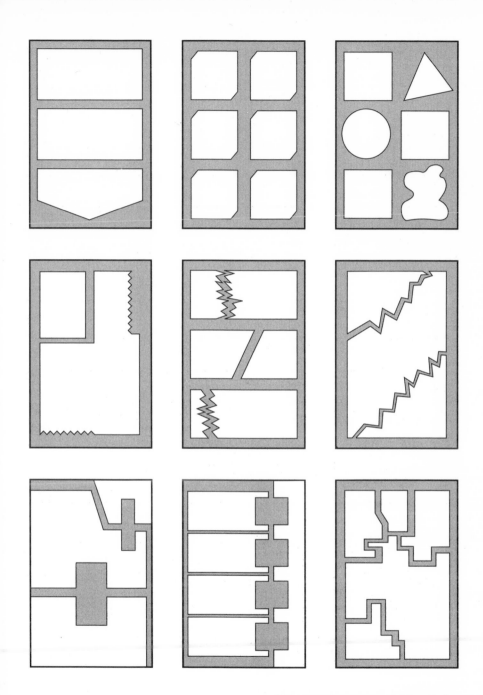

STRUCTURING SPACE

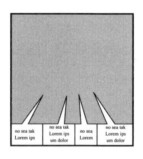

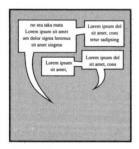

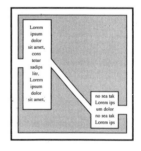

COMIC CAPTIONING SYSTEMS #1

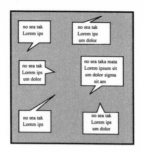
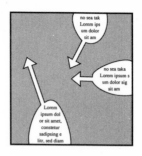

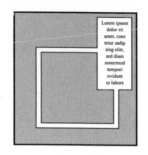

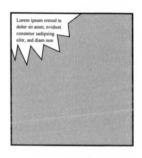

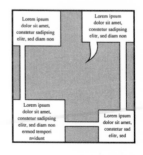

2

ORIENTING ON THE PAGE

or sit amet, cons
tetur sadipsing e
litr. sed diam no
nermod tempori
nvidunt ut labore
et dolore magna

17

or sit amet, cons
tetur sadipsing e
litr. sed diam no
nermod tempori
nvidunt ut labore
et dolore magna

17

or sit amet, cons
tetur sadipsing e
litr, sed diam no
nermod tempori
nvidunt ut labore
et dolore magna

17|

or sit amet, cons
tetur sadipsing e
litr, sed diam no
nermod tempori
nvidunt ut labore
et dolore magna

•17•

or sit amet, cons
tetur sadipsing e
litr, sed diam no
nermod tempori
nvidunt ut labore
et dolore magna

-17-

or sit amet, cons
tetur sadipsing e
litr, sed diam no
nermod tempori
nvidunt ut labore
et dolore magna

(17)

or sit amet, cons
tetur sadipsing e
litr, sed diam no
nermod tempori
nvidunt ut labore
et dolore magna

17

or sit amet, cons
tetur sadipsing e
litr, sed diam no
nermod tempori
nvidunt ut labore
et dolore magna

17

or sit amet, cons
tetur sadipsing e
litr. sed diam no
nermod tempori
nvidunt ut labore
et dolore magna

◇17◇

or sit amet, cons
tetur sadipsing e
litr. sed diam no
nermod tempori
nvidunt ut labore
et dolore magna

or sit amet, cons
tetur sadipsing e
litr. sed diam no
nermod tempori
nvidunt ut labore
et dolore magna

1 7

or sit amet, cons
tetur sadipsing e
litr, sed diam no
nermod tempori
nvidunt ut labore
et dolore magna

1 7

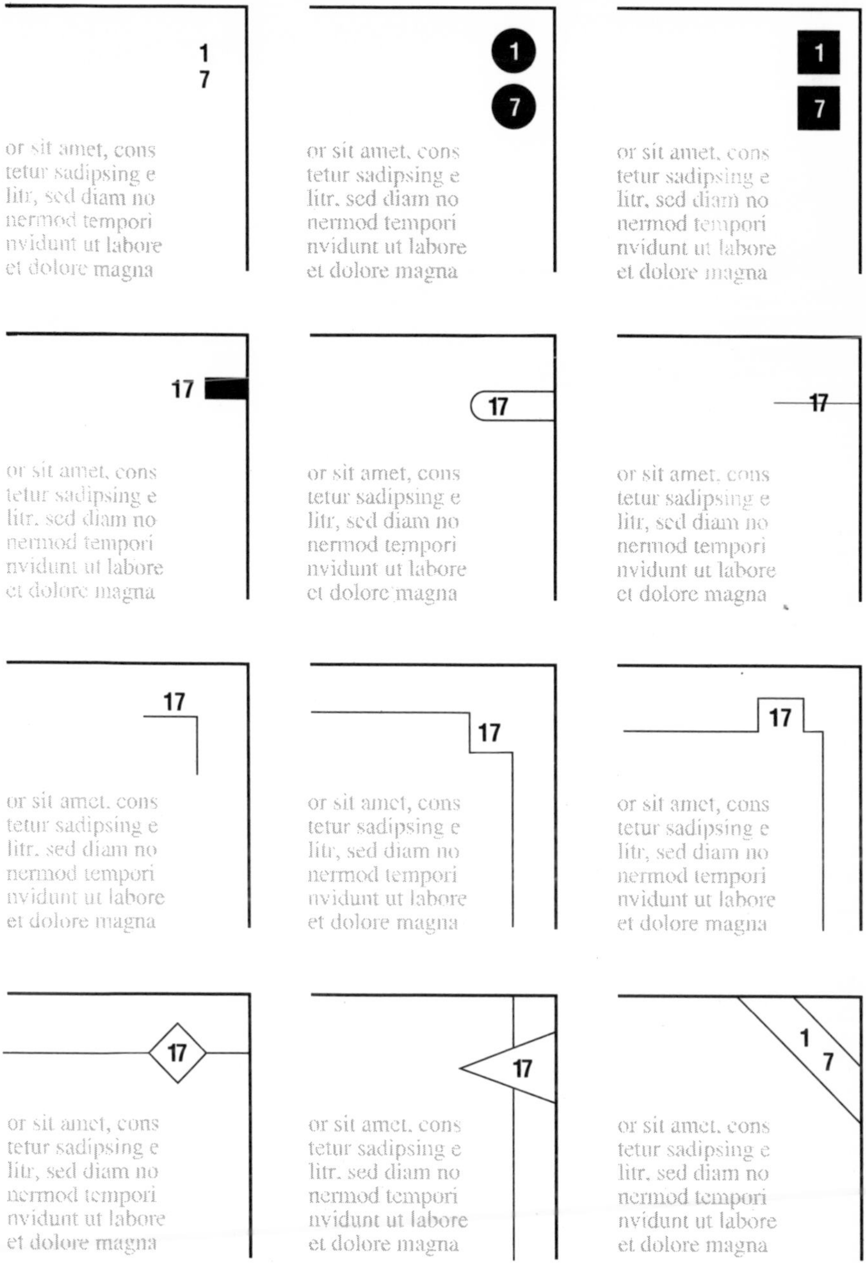
1
7
or sit amet, cons
tetur sadipsing e
litr, sed diam no
nermod tempori
nvidunt ut labore
et dolore magna
1
7
or sit amet, cons
tetur sadipsing e
litr. sed diam no
nermod tempori
nvidunt ut labore
et dolore magna
1
7
or sit amet, cons
tetur sadipsing e
litr, sed diam no
nermod tempori
nvidunt ut labore
et dolore magna
17
or sit amet, cons
tetur sadipsing e
litr. sed diam no
nermod tempori
nvidunt ut labore
et dolore magna
17
or sit amet, cons
tetur sadipsing e
litr, sed diam no
nermod tempori
nvidunt ut labore
et dolore magna
17
or sit amet, cons
tetur sadipsing e
litr, sed diam no
nermod tempori
nvidunt ut labore
et dolore magna
17
or sit amet, cons
tetur sadipsing e
litr. sed diam no
nermod tempori
nvidunt ut labore
et dolore magna
17
or sit amet, cons
tetur sadipsing e
litr, sed diam no
nermod tempori
nvidunt ut labore
et dolore magna
17
or sit amet, cons
tetur sadipsing e
litr, sed diam no
nermod tempori
nvidunt ut labore
et dolore magna
17
or sit amet, cons
tetur sadipsing e
litr, sed diam no
nermod tempori
nvidunt ut labore
et dolore magna
17
or sit amet, cons
tetur sadipsing e
litr. sed diam no
nermod tempori
nvidunt ut labore
et dolore magna
1
7
or sit amet, cons
tetur sadipsing e
litr, sed diam no
nermod tempori
nvidunt ut labore
et dolore magna

FOLIOS #2

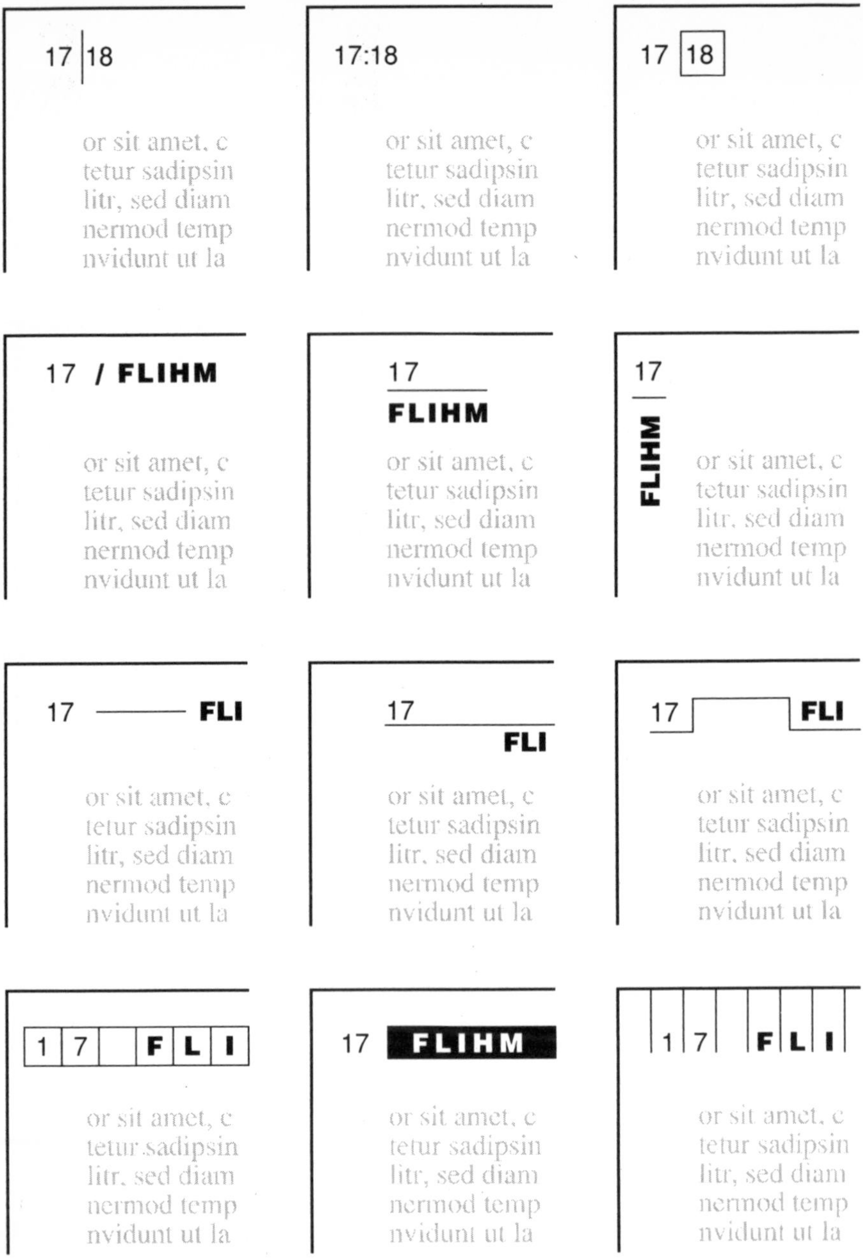

17 | 18

or sit amet, c
tetur sadipsin
litr, sed diam
nermod temp
nvidunt ut la

17:18

or sit amet, c
tetur sadipsin
litr, sed diam
nermod temp
nvidunt ut la

17 18

or sit amet, c
tetur sadipsin
litr, sed diam
nermod temp
nvidunt ut la

17 / FLIHM

or sit amet, c
tetur sadipsin
litr, sed diam
nermod temp
nvidunt ut la

17
FLIHM

or sit amet, c
tetur sadipsin
litr, sed diam
nermod temp
nvidunt ut la

17
FLIHM

or sit amet, c
tetur sadipsin
litr, sed diam
nermod temp
nvidunt ut la

17 ——— FLI

or sit amet, c
tetur sadipsin
litr, sed diam
nermod temp
nvidunt ut la

17
FLI

or sit amet, c
tetur sadipsin
litr, sed diam
nermod temp
nvidunt ut la

17 ⌐ FLI

or sit amet, c
tetur sadipsin
litr, sed diam
nermod temp
nvidunt ut la

1 7 F L I

or sit amet, c
tetur sadipsin
litr, sed diam
nermod temp
nvidunt ut la

17 FLIHM

or sit amet, c
tetur sadipsin
litr, sed diam
nermod temp
nvidunt ut la

1 7 F L I

or sit amet, c
tetur sadipsin
litr, sed diam
nermod temp
nvidunt ut la

FOLIOS #3

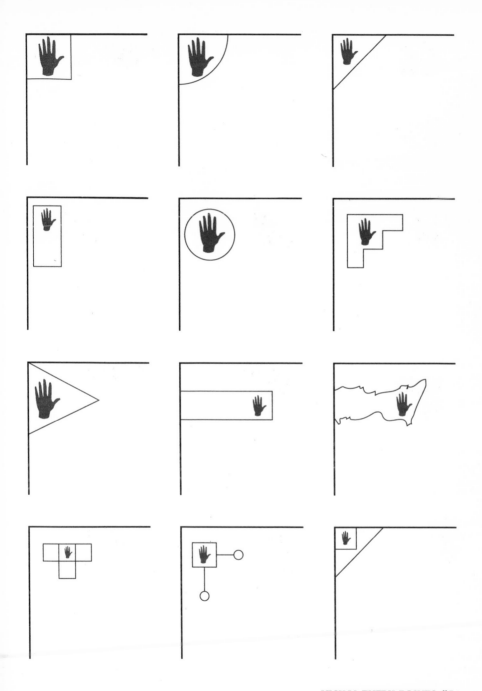

STUL

or sit amet, consteti sadipsing e labore
litr, sed diam no ne iod tempori sit ame
nvidunt ut labore et olore magna conste

S T U L

or sit amet, consteti sadipsing e labore
litr, sed diam no ne iod tempori sit ame
nvidunt ut labore et olore magna conste

S T U L

or sit amet, consteti sadipsing e labore
litr, sed diam no ne iod tempori sit ame
nvidunt ut labore et olore magna conste

STUL

or sit amet, consteti sadipsing e labore
litr, sed diam no ne iod tempori sit ame
nvidunt ut labore et olore magna conste

S T U L

or sit amet, consteti sadipsing e labore
litr, sed diam no ne iod tempori sit ame
nvidunt ut labore et olore magna conste

$ T U L

or sit amet, consteti sadipsing e labore
litr, sed diam no ne iod tempori sit ame
nvidunt ut labore et olore magna conste

S T U L

or sit amet, consteti sadipsing e labore
litr, sed diam no ne iod tempori sit ame
nvidunt ut labore et olore magna conste

S T U L

or sit amet, consteti sadipsing e labore
litr, sed diam no ne iod tempori sit ame
nvidunt ut labore et olore magna conste

S T U L

or sit amet, consteti sadipsing e labore
litr, sed diam no ne iod tempori sit ame
nvidunt ut labore et olore magna conste

or sit amet, consteti sadipsing e labore
litr, sed diam no ne iod tempori sit ame
nvidunt ut labore et olore magna conste

STUL

or sit amet, consteti sadipsing e labore
litr, sed diam no ne iod tempori sit ame
nvidunt ut labore et olore magna conste

STUL

or sit amet, consteti sadipsing e labore
litr, sed diam no ne iod tempori sit ame
nvidunt ut labore et olore magna conste

KICKER DEVICES #1

ORIENTING ON THE PAGE

WOFN

or sit amet, consteti sadipsing e labore
litr, sed diam no ne od tempori sit ame
nvidunt ut labore et olore magna conste

WOFN

or sit amet, consteti sadipsing e labore
litr, sed diam no ne od tempori sit ame
nvidunt ut labore et olore magna conste

WOFN

or sit amet, consteti sadipsing e labore
litr, sed diam no ne od tempori sit ame
nvidunt ut labore et olore magna conste

WOFN

or sit amet, consteti sadipsing e labore
litr, sed diam no ne od tempori sit ame
nvidunt ut labore et olore magna conste

WOFN

or sit amet, consteti sadipsing e labore
litr, sed diam no ne od tempori sit ame
nvidunt ut labore et olore magna conste

WOFN

or sit amet, consteti sadipsing e labore
litr, sed diam no ne od tempori sit ame
nvidunt ut labore et olore magna conste

W-O-F-N

or sit amet, consteti sadipsing e labore
litr, sed diam no ne od tempori sit ame
nvidunt ut labore et olore magna conste

W O F N

or sit amet, consteti sadipsing e labore
litr, sed diam no ne od tempori sit ame
nvidunt ut labore et olore magna conste

WOFN

or sit amet, consteti sadipsing e labore
litr, sed diam no ne od tempori sit ame
nvidunt ut labore et olore magna conste

WOFN

or sit amet, consteti sadipsing e labore
litr, sed diam no ne od tempori sit ame
nvidunt ut labore et olore magna conste

W O F N

or sit amet, consteti sadipsing e labore
litr, sed diam no ne od tempori sit ame
nvidunt ut labore et olore magna conste

W O F N

or sit amet, consteti sadipsing e labore
litr, sed diam no ne od tempori sit ame
nvidunt ut labore et olore magna conste

KICKER DEVICES #2

SMYO **SMYO**

or sit amet, consten sadipsing e labore
litr, sed diam no ne nod tempori sit ame
nvidunt ut labore et olore magna conste

SMYO SMYO

or sit amet, consten sadipsing e labore
litr, sed diam no ne nod tempori sit ame
nvidunt ut labore et olore magna conste

 SMYO
SMYO

or sit amet, consten sadipsing e labore
litr, sed diam no ne nod tempori sit ame
nvidunt ut labore et olore magna conste

S
SMYO
Y
O

or sit amet, consten sadipsing e labore
litr, sed diam no ne nod tempori sit ame
nvidunt ut labore et olore magna conste

SMYO SMYO

or sit amet, consten sadipsing e labore
litr, sed diam no ne nod tempori sit ame
nvidunt ut labore et olore magna conste

YO **SMYO** SMYO SMYO SMYO SMYO SMY

or sit amet, consten sadipsing e labore
litr, sed diam no ne nod tempori sit ame
nvidunt ut labore et olore magna conste

SMYO ●————● SMYO

or sit amet, consten sadipsing e labore
litr, sed diam no ne nod tempori sit ame
nvidunt ut labore et olore magna conste

 S M Y O S M Y O

or sit amet, consten sadipsing e labore
litr, sed diam no ne nod tempori sit ame
nvidunt ut labore et olore magna conste

SMYO ／ SMYO ／ SMYO

or sit amet, consten sadipsing e labore
litr, sed diam no ne nod tempori sit ame
nvidunt ut labore et olore magna conste

S M Y O S M Y O

or sit amet, consten sadipsing e labore
litr, sed diam no ne nod tempori sit ame
nvidunt ut labore et olore magna conste

SMYO SMYO

or sit amet, consten sadipsing e labore
litr, sed diam no ne nod tempori sit ame
nvidunt ut labore et olore magna conste

SMYO SMYO

or sit amet, consten sadipsing e labore
litr, sed diam no ne nod tempori sit ame
nvidunt ut labore et olore magna conste

KICKER DEVICES #3

NO FT

or sit amet, constet sadipsing e labore
litr, sed diam no ne od tempori sit ame
nvidunt ut labore et olore magna conste

NO FT

or sit amet, constet sadipsing e labore
litr, sed diam no ne od tempori sit ame
nvidunt ut labore et olore magna conste

N O F T

or sit amet, constet sadipsing e labore
litr, sed diam no ne od tempori sit ame
nvidunt ut labore et olore magna conste

N O F T

or sit amet, constet sadipsing e labore
litr, sed diam no ne od tempori sit ame
nvidunt ut labore et olore magna conste

N O F T

or sit amet, constet sadipsing e labore
litr, sed diam no ne od tempori sit ame
nvidunt ut labore et olore magna conste

N O F T

or sit amet, constet sadipsing e labore
litr, sed diam no ne od tempori sit ame
nvidunt ut labore et olore magna conste

N O F T

or sit amet, constet sadipsing e labore
litr, sed diam no ne od tempori sit ame
nvidunt ut labore et olore magna conste

N O F T

or sit amet, constet sadipsing e labore
litr, sed diam no ne od tempori sit ame
nvidunt ut labore et olore magna conste

N O F T

or sit amet, constet sadipsing e labore
litr, sed diam no ne od tempori sit ame
nvidunt ut labore et olore magna conste

N O F T

or sit amet, constet sadipsing e labore
litr, sed diam no ne od tempori sit ame
nvidunt ut labore et olore magna conste

N O F T

or sit amet, constet sadipsing e labore
litr, sed diam no ne od tempori sit ame
nvidunt ut labore et olore magna conste

NOFT

or sit amet, constet sadipsing e labore
litr, sed diam no ne od tempori sit ame
nvidunt ut labore et olore magna conste

KICKER DEVICES #4

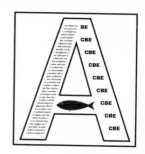

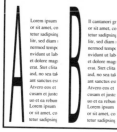

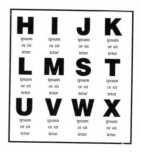

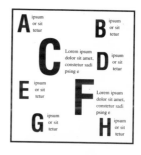

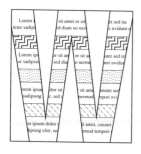

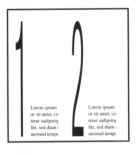

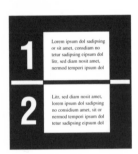

ORIENTING ON PAGE WITH NUMBERS

BIG WORDS WITH LITTLE WORDS

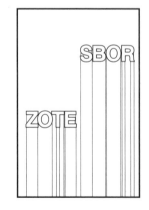

TWO WORDS IN RELATIONSHIP TO ONE ANOTHER

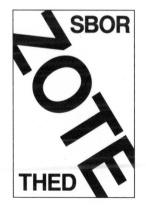

THREE WORDS IN RELATIONSHIP TO ONE ANOTHER

ZOTE
SBOR
THED
SNEG

ZOTE
SBOR
THED
SNEG

ZOTE
SBOR
THED
SNEG

ZOTE
SBOR
THED
SNEG

ZOTESBOR
SBORTHED
THEDSNEG
SNEGZOTE
ZOTESBOR
SBORTHED
THEDSNEG
SNEGZOTE

ZOTE
SBOR
THED
SNEG
ZOTE
SBOR
THED
SNEG

ZOTE   SBOR
SNEG
SBOR   ZOTE
THED
THED   SBOR
ZOTE
SNEG   THED
SBOR
SBOR   ZOTE
THED
ZOTE   SNEG
THED SBOR
SBOR   ZOTE

THED
ZOTE
SNEG
SBOR
THED
ZOTE

ZOTE
SBOR
THED
SNEG
THED
SBOR
ZOTE
THED

ZOTE
SBORTHED
SNEGZOTESB
ORTHEDSNEGZ
OTESBORTHED
SNEGZOTESB
ORTHEDSN
EGZO

ZOTESBORSNEG
THEDSBORZOTE
SNEGSB
ORTHED
ZOTESB
ORTHED
SBORSN
EGZOTE
THEDZO
TESBOR
SNEGTH
EDSBORSNEGZO
TETHEDSBORSN

MULTIPLE WORDS IN RELATIONSHIP TO ONE ANOTHER #2

TEXT
SYSTEMS

Lorem ipsum dolor sit amet, consetetur sadipscing elitr, sed diam nonumy eirmod tempor invidunt ut labore et dolore magna aliquyam erat, sed diam voluptua. At vero eos et accusam et justo duo dolores et ea rebum. Stet clita kasd gubergren, no sea takimata sanctus est. Lorem ipsum dolor sit amet, consetetur sadipscing elitr, sed diam nonumy eirmod tempor invidunt ut labore et dolore magna aliquyam erat, sed diam voluptua. At vero eos et accusam et justo duo dolores et ea rebum. Stet clita kasd gubergren, no sea takimata sanctus est. Lorem ipsum dolor sit amet, consetetur sadipscing elitr, sed diam nonumy eirmod tempor invidunt ut labore et dolore magna aliquyam erat, sed diam voluptua. At vero eos et accusam et justo duo dolores et ea rebum. Stet clita kasd

Lorem ipsum dolor sit amet, consetetur sadipscing elitr, sed diam nonumy eirmod tempor invidunt ut labore et dolore magna aliquyam erat, sed diam voluptua. At vero eos et accusam et justo duo dolores et ea rebum. Stet clita kasd gubergren, no sea takimata sanctus est. Lorem ipsum dolor sit amet, consetetur sadipscing elitr, sed diam nonumy eirmod tempor invidunt ut labore et dolore magna aliquyam erat, sed diam voluptua. At vero eos et accusam et justo duo dolores et ea rebum. Stet clita kasd gubergren, no sea takimata sanctus est. Lorem ipsum dolor sit amet, consetetur sadipscing elitr, sed diam nonumy eirmod tempor invidunt ut labore et dolore magna aliquyam erat, sed diam voluptua. At vero eos et accusam et justo duo dolores et ea rebum. Stet clita kasd

Lorem ipsum dolor sit amet, consetetur sadipscing elitr, sed diam nonumy eirmod tempor invidunt ut labore et dolore magna aliquyam erat, sed diam voluptua. At vero eos et accusam et justo duo dolores et ea rebum. Stet clita kasd gubergren, no sea takimata sanctus est. Lorem ipsum dolor sit amet, consetetur sadipscing elitr, sed diam nonumy eirmod tempor invidunt ut labore et dolore magna aliquyam erat, sed diam voluptua. At vero eos et accusam et justo duo dolores et ea rebum. Stet clita kasd gubergren, no sea takimata sanctus est. Lorem ipsum dolor sit amet, consetetur sadipscing elitr, sed diam nonumy eirmod tempor invidunt ut labore et dolore magna aliquyam erat, sed diam voluptua. At vero eos et accusam et justo duo dolores et ea rebum. Stet clita kasd

Lorem ipsum dolor sit amet, consetetur sadipscing elitr, sed diam nonumy eirmod tempor invidunt ut labore et dolore magna aliquyam erat, sed diam voluptua. At vero eos et accusam et justo duo dolores et ea rebum. Stet clita kasd gubergren, no sea takimata sanctus est. Lorem ipsum dolor sit amet, consetetur sadipscing elitr, sed diam nonumy eirmod tempor invidunt ut labore et dolore magna aliquyam erat, sed diam voluptua. At vero eos et accusam et justo duo dolores et ea rebum. Stet clita kasd gubergren, no sea takimata sanctus est. Lorem ipsum dolor sit

Lorem ipsum dolor sit amet, consetetur sadipscing elitr, sed diam nonumy eirmod tempor invidunt ut labore et dolore magna aliquyam erat, sed diam voluptua. At vero eos et accusam et justo duo dolores et ea rebum. Stet clita kasd gubergren, no sea takimata sanctus est. Lorem ipsum dolor sit amet, consetetur sadipscing

Lorem ipsum dolor sit amet, consetetur sadipscing elitr, sed diam nonumy eirmod tempor invidunt ut labore et dolore magna aliquyam erat, sed diam voluptua. At vero eos et accusam et justo duo dolores et ea rebum. Stet clita kasd gubergren, no sea takimata sanctus est. Lorem ipsum dolor sit amet, consetetur sadipscing elitr, sed diam nonumy eirmod tempor invidunt ut labore et dolore magna aliquyam erat, sed diam voluptua. At vero eos et accusam et justo duo dolores et ea rebum. Stet clita kasd gubergren, no sea takimata sanctus est.

Lorem ipsum dolor sit amet, consetetur sadipscing elitr, sed diam nonumy eirmod tempor invidunt ut labore et dolore magna aliquyam erat, sed diam voluptua. At vero eos et accusam et justo duo dolores et ea rebum. Stet clita kasd gubergren, no sea takimata sanctus est. Lorem ipsum dolor sit amet, consetetur sadipscing elitr, sed diam nonumy eirmod tempor invidunt ut labore et dolore magna aliquyam erat, sed diam voluptua. At vero eos et accusam et justo duo dolores et ea rebum. Stet clita kasd gubergren, no sea takimata sanctus est.

Lorem ipsum dolor sit amet, consetetur sadipscing elitr, sed diam nonumy eirmod tempor invidunt ut labore et dolore magna aliquyam erat, sed diam voluptua. At vero eos et accusam et justo duo dolores et ea rebum. Stet clita kasd gubergren, no sea takimata sanctus est. Lorem ipsum dolor sit amet, consetetur sadipscing elitr, sed diam nonumy eirmod tempor invidunt ut labore et dolore magna aliquyam erat, sed diam voluptua. At vero eos et accusam et justo duo dolores et ea rebum. Stet

ONE COLUMN REGULAR TEXT BLOCKS

Lorem ipsum dolor sit amet, consetetur sadipscing elitr, sed diam nonumy eirmod tempor invidunt ut labore et dolore magna aliquyam erat, sed diam voluptua. At vero eos et accusam et justo duo dolores et ea rebum. Stet clita kasd gubergren, no sea takimata sanctus est. Lorem ipsum dolor sit amet, consetetur sadipscing elitr, sed diam nonumy eirmod tempor invidunt ut labore et dolore magna aliquyam erat, sed diam voluptua. At vero eos et accusam et justo duo dolores et ea rebum. Stet clita kasd gubergren, no sea takimata sanctus est.

Magan cu laude sadipscing elitr, sed diam nonumy eirmod tempor invidunt ut labore et dolore magna aliquyam erat, sed diam voluptua. At vero eos et accusam et justo duo dolores et ea rebum. Stet clita kasd gubergren, no sea takimata sanctus est. Lorem ipsum dolor sit amet, consetetur sadipscing elitr, sed diam nonumy eirmod tempor invidunt ut labore et dolore magna aliquyam erat, sed diam voluptua. At vero eos et accusam et justo duo dolores et ea rebum. Stet clita kasd gubergren, no sea takimata sanctus est. Lorem ipsum dolor sit

Lorem ipsum dolor sit amet, consetetur sadipscing elitr, sed diam nonumy eirmod tempor invidunt ut labore et dolore magna aliquyam erat, sed diam voluptua. At vero eos et accusam et justo duo dolores et ea rebum. Stet clita kasd gubergren, no sea takimata sanctus est. Lorem ipsum dolor sit amet, consetetur sadipscing elitr, sed diam nonumy eirmod tempor invidunt ut labore et dolore magna aliquyam erat, sed diam voluptua. At vero eos et accusam et

justo duo dolores et ea rebum. Stet clita kasd gubergren, no sea takimata sanctus est. Lorem ipsum dolor sit amet, consetetur sadipscing elitr, sed diam nonumy eirmod tempor invidunt ut labore et dolore magna aliquyam erat, sed diam voluptua. At vero eos et accusam et justo duo dolores et ea rebum. Stet clita kasd gubergren, no sea takimata sanctus est. Lorem ipsum dolor sit amet, consetetur sadipscing elitr, sed diam nonumy eirmod tempor invidunt

Lorem ipsum dolor sit amet, consetetur sadipscing elitr, sed diam nonumy eirmod tempor invidunt ut labore et dolore magna aliquyam erat, sed diam voluptua. At vero eos et accusam et justo duo dolores et ea rebum. Stet clita kasd gubergren, no sea takimata sanctus est. Lorem ipsum dolor sit amet, consetetur sadipscing elitr, sed diam nonumy eirmod tempor invidunt ut labore et dolore magna aliquyam erat, sed diam voluptua. At vero eos et accusam et justo duo dolores et ea rebum. Stet clita kasd gubergren, no sea takimata sanctus est. Lorem ipsum dolor sit amet, consetetur sadipscing elitr, sed diam nonumy eirmod tempor

invidunt ut labore et dolore magna aliquyam erat, sed diam voluptua. At vero eos et accusam et justo duo dolores et ea rebum. Stet clita kasd gubergren, no sea takimata sanctus est. Lorem ipsum dolor sit

Lorem ipsum dolor sit amet, consetetur sadipscing elitr, sed diam nonumy eirmod tempor invidunt ut labore et dolore magna aliquyam erat, sed diam voluptua.

At vero eos et accusam et justo duo dolores et ea rebum. Stet clita kasd gubergren, no sea takimata sanctus est. Lorem ipsum dolor sit amet, consetetur sadip-

Lorem ipsum dolor sit amet, consetetur sadipscing elitr, sed diam nonumy eirmod tempor invidunt ut labore et dolore magna aliquyam erat, sed diam voluptua. At vero eos et accusam

et justo duo dolores et ea rebum. Stet clita kasd gubergren, no sea takimata sanctus est. Lorem ipsum dolor sit amet, consetetur sadipscing elitr, sed diam nonumy eirmod tempor

Lorem ipsum dolor sit amet, consetetur sadipscing elitr, sed diam nonumy eirmod tempor invidunt ut labore et dolore magna aliquyam erat, sed diam voluptua.

Sed diam nonumy eirmod tempor invidunt ut labore et dolore magna aliquyam erat, sed diam voluptua. At vero eos et accusam et justo duo dolores et ea rebum.

Stet clita kasd gubergren, no sea takimata sanctus est. Lorem ipsum dolor sit amet, consetetur sadipscing elitr, sed diam nonumy eirmod tempor invidunt

At vero eos et accusam et justo duo dolores et ea rebum. Stet clita kasd gubergren, no sea takimata sanctus est. Lorem ipsum dolor sit amet, consetetur sadip-

Lorem ipsum dolor sit amet, consetetur sadipscing elitr, sed diam nonumy eirmod tempor invidunt ut labore et

dolore magna aliquyam erat, sed diam voluptua. At vero eos et accusam et justo duo dolores et ea rebum. Stet clita kasd gubergren, no sea

invidunt ut labore et dolore magna aliquyam erat, sed diam voluptua. At vero eos et accusam et justo duo dolores et ea rebum. Stet clita

kasd gubergren, no sea takimata sanctus est. Lorem ipsum dolor sit amet, consetetur sadipscing elitr, sed diam nonumy eirmod tempor

takimata sanctus est. Lorem ipsum dolor sit amet, consetetur sadipscing elitr, sed diam nonumy eirmod tempor

Lorem ipsum dolor sit amet, consetetur sadipscing elitr, sed diam nonumy eirmod tempor invidunt ut labore et dolore magna aliquyam erat, sed diam voluptua.

At vero eos et accusam et justo duo dolores et ea rebum. Stet clita kasd gubergren, no sea takimata sanctus est. Lorem ipsum dolor sit amet, consetetur sadipscing elitr, sed diam nonumy eirmod tempor invidunt ut labore et dolore magna aliquyam erat, sed diam voluptua. At vero eos et accusam et justo duo dolores et ea rebum. Stet clita kasd gubergren, no sea takimata sanctus est. Lorem ipsum dolor sit amet, consetetur sadipscing elitr, sed diam nonumy eirmod tempor invidunt ut labore et dolore magna aliquyam erat, sed diam voluptua. At vero eos et accusam et justo duo dolores et ea rebum. Stet clita kasd gubergren, no sea

Lorem ipsum dolor sit amet, consetetur sadipscing elitr, sed diam nonumy eirmod tempor invidunt ut labore et dolore magna aliquyam erat, sed diam voluptua. At vero eos et accusam et justo duo dolores et ea rebum. Stet clita kasd gubergren, no sea

ea rebum. Stet clita kasd gubergren, no sea takimata sanctus est. Lorem ipsum dolor sit amet, consetetur sadipscing elitr, sed diam nonumy eirmod tempor invidunt ut labore et dolore magna aliquyam erat, sed diam voluptua. At vero eos et accusam et justo duo dolores et ea rebum. Stet clita kasd gubergren, no sea takimata sanctus est. Lorem ipsum dolor sit amet, consetetur sadipscing elitr, sed diam nonumy eirmod tempor invidunt ut labore et dolore magna aliquyam erat, sed diam voluptua. At vero eos et accusam et justo duo dolores et ea rebum. Stet clita kasd gubergren, no sea takimata sanctus est. Lorem ipsum dolor sit

takimata sanctus est. Lorem ipsum dolor sit amet, consetetur sadipscing elitr, sed diam nonumy eirmod tempor invidunt ut labore et dolore magna aliquyam erat, sed diam voluptua. At vero eos et accusam et justo duo dolores et

TWO COLUMN REGULAR TEXT BLOCKS

consetetur sadip-scing elitr, sed diam nonumy Lorem Ipsum magna cum lau eirmod tempor invidunt ut lab-ore et dolore magna aliquyam erat, sed diam voluptua. At vero eos et lkiko

Lorem ipsum dolor sit amet, consetetur sadip-scing elitr, sed diam nonumy eirmod tempor invidunt ut lab-ore et dolore magna aliquyam erat, sed diam voluptua. At ve-roghj eos jhget accusam et justo duo dolores et ea rebum. Stet amen vivit haec

Consetetur sadipscing elitr, sed diam non-umy eirmod tempor invidunt ut lab-ore et dolore magna aliquyam erat, sed diam volup-tua. At ve-o eos et accusam et justo duo dol ores et ea rebum. Stet clita kasd gubergren, no gjsea lgjaki-ma Lorem ipsum do lor sit amet, con-senonumy eir-mod gren, no sea takimapro vincit lorem ipsum do lor sit amet, omnia selentes pasqual balamo-rum zip lorem

Lorem ipsum dolor sit amet, consetetur sad ipscing elitr, sed diam nonumy eirmod tempor invidunt ut lab-ore et dolore magna aliquyam erat, sed diam voluptua. At ve-o eos et accusam et justo duo dol-res et ea rebum. Stet clita kasd gubergren, no sea taki-maLo-rem ipsum dolor sit amet, con-senonumy eir-mod gren, no sea takimapro vincit omnia selentes pasqual balarnorum zip.Lorem

ipsum dolor sit amet, consetetur sadipscing elitr, sed diam non-jgmpor invidunt ut lab-ore et dolore magna aliquyam erat, sed diam volup-tua. At veo eos et accusam et justo duo-loresj et gea rebum. Stet clita kasd gubergren, no sea taki maLorem ipsum

dolor sit amet, consenonumy eirmod gren, no vincit omnia selentes pasqual balarnorum zip.Lorem ipsum dolor sit

Lorem ipsum dolor sit amet, consetetur sad ipscing elitr, sed diam nonumy eirmod tempor invidunt ut lab-ore et dolore

magna aliquyam erat, sed diam voluptua. At ve-o eos et accusam et justokjkj duo dolores et ea rebum. Stet clita kasd gubergren, no sea taki-math

Lorem ipsum dolor sit amet, consenonumy eirmod gren, no sea takimapro vincit omnia selentes pasqual balarnorum

Lorem ipsum dolor sit amet, consetetur sadi ipscing elitr, sed diam nonumy

eirmod tempor invidunt ut lab-ore et dolore magna aliquyam erat, sed diam

voluptua. At ve-o eos et accusam et justooplik duo dolores et ea rebum. Stet clita

kasd gubergren, no sea taki-maLorem ipsum dolor sit amet, consenonumy

eirmod gren, no sea takimapro vincit omnia selentes pasqual balarnorum

zip.Lorem ipsum dolor sit amet, consetetur sadipscing elitr, sed diam non-

umy eirmod tempor invidunt ut lab-ore et dolore magna aliquyam erat,

sed diam volup-tua. At ve-o eos et accusam et justolkio duo dolores et ea

rebum. Stet clita kasd gubergren, no sea taki-maLorem ipsum dolor sit amet,

consenonumy eirmod gren, no sea takimapro vincit omnia selentes pasqual

balarnorum zip.Lorem ipsum dolor sit amet, consetetur sadipscing elitr,

balarnorum zip.Lorem ipsum dolor sit amet, consetetur sadipscing elitr,

sed diam non-umy jheirmod tempor invidunt ut lab-ore et dolore magna

Lorem ipsum dolor sit amet, consetetur sadi pscing elitr, sed

magna aliquyam erat, sed diam voluptua. At veromoi eos et

diam nonumy geeirmod tem-por invidunt ut lab-ore et dolore

Lorem ipsum dolor sit amet, consetetur sadi pscing elitr, sed

magna aliquyam erat, sed diam voluptua. At ve eos et Lorem

diam nonumyge eirmod tempor invidunt ut lab-ore et dolore

Lorem ipsum dolor sit amet, consetetur sadi pscing elitr, sed

magna aliquyam erat, sed diam voluptua. At ver lomoo ethos et

diam nonumyge eirmod tempor invidunt ut lab-ore etta dolore

Dolor sit amet, consetetur sad ipscing elitr, sed diam nonumy eirmod tempor invidunt Lorem ipsum etut lab-ore et dolore magna aliquyam erat, sed diam voluptua. At vero eos humah

Lorem ipsum dolor sit amet, consetetur sadip-scing elitr, sed diam nonumy eirmod tempor invidunt ut lab-ore et dolore magna aliquyam erat, sed diam voluptua. At ve-

ro eos et accusam et justo duo dolores et ea rebum. Stet ta-men vivit hae-cLorem ipsum dolor sit amet, consetetur sadip-scing elitr, sed diam nonumy eirmod tempor

Lorem ipsum dolor sit amet, consetetur sadi pscing elitr, sed diam nonumy eirmod tempor

em ipsum dolor sit amet, con-setetur sadipsc-ing elitr, sed diam nonumy eirmod tempor invidunt ut lab-ore et dolore magna aliquyam erat, sed diam voluptua. At ve-ro hjheos hjget accusam et justo duo dolores et ea

rebum.ghjj ta erjgStet tam-en tofvivit haeLo-rem ipsum dolor sit amet, con-setetur sadipsc-

invidunt ut lab-ore et dolore magna aliquyam erat, sed diam voluptua. At vero eos etLor-

ing elitr, sed diam nonumy eirmod tempor invidunt ut lab-ore et dolore magna aliquyam

Lorem ipsum dolor sit amet, consetetur sadi pscing elitr, sed diam nonumy eirmod tempor invidunt ut lab-ore et dolore magna aliquyam erat, sed diam voluptua. At ve-ro ipsum dolor sit amet, con-setetur sadipsc-ing elitr, sed diam nonumy eirmod tempor invidunt ut lab-ore et dolore magna aliquyam erat, sed diam voluptua. At ve-ro ethereos et accusam et justo duo dolores et

ea rebum. gf Stet tam-en gfsivivit haeLo-rem ipsum dolor sit amet, consetetur sadipscing elitr, sed diam non-umyama eirmod tempor invidunt

kasd gubergren, no sea taki-maLorem ipsum dolor sit amet, consenonumy eirmod gren, no sea takimapro vincito omnia selentes pasqual balarnorum zip.Lorem ipsum dolor sit amet, consetetur sadipscing elitr, sed diam non-umyama eirmod tempor invidunt ut lab-ore et dolore magna aliquyam erat, sed diam volup-tua. At ve-o eos et accusam et justoohuif duo dolores et ea rebum. Stet clita

Lorem ipsum dolor sit amet, consetetur sadi pscing elitr, sed diam nonumy eirmod tempor invidunt ut lab-ore et dolore magna aliquyam erat, sed diam voluptua. At ve-ro ethereos et accusam et justo duo dolores et

ea rebum. gf Stet tam-en gfsivivit haeLo-rem ipsum dolor sit amet, consetetur sadipscing elitr, sed diam non-umyama eirmod tempor invidunt ut lab-ore et dolore magna aliquyam erat, sed diam volup-tua. At ve-o eos

et accusam et justoohuif duo dolores et ea rebum. Stet clita kasd gubergren, no sea taki-maLorem ipsum dolor sit amet, consenonumy eirmod gren, no sea takimapro vincito omnia selentes pasqual balarnorum zip.Lorem ipsum dolor sit amet, consetetur sadipscing elitr, sed diam non-umyama eirmod tempor invidunt ut lab-ore et dolore magna aliquyam erat, sed diam volup-tua. At vero eos

THREE COLUMN REGULAR TEXT BLOCKS

Lorem ipsum dolor sit amet, consetetur sadipscing elitr, sed diam nonumy eirmod tempor invidunt ut labore et dolore magna aliquyam erat, sed diam voluptua. At vero eos et ac

cusam et justo duo dolores et ea rebum. Stet clita kasd gubergren, no sea takimata sanctus est. Lorem ipsum dolor sit amet, consetetur sadipscing elitr, sed diam nonumy eirmod

tempor invidunt ut labore et dolore magna aliquyam erat, sed diam voluptua. At vero eos et accusam et justo duo dolores et ea rebum. Stet clita kasd gubergren, no sea takimata

sanctus est. Lorem ipsum dolor sit amet, consetetur sadipscing elitr, sed diam nonumy eirmod tempor invidunt ut labore et dolore magna aliquyam erat, sed diam voluptua. At

vero eos et accusam et justo duo dolores et ea rebum. Stet clita kasd gubergren, no sea takimata sanctus est. Lorem ipsum dolor sit amet, consetetur sadipscing elitr, sed diam

Lorem ipsum dolor sit amet, consetetur sadipscing elitr, sed diam nonumy eirmod tempor invidunt ut labore et dolore magna aliquyam erat, sed diam voluptua. At vero eos et accusam et justo duo dolores et ea rebum. Stet clita kasd gubergren, no sea takimata sanctus est. Lorem ipsum dolor sit amet, consetetur sadipscing elitr, sed diam nonumy eirmod tempor invidunt ut labore et dolore magna aliquyam erat, sed diam voluptua. At vero eos et accusam et justo duo dolores et ea rebum. Stet clita kasd gubergren, no sea takimata sanctus est. Lorem ipsum dolor sit amet, consetetur sadipscing elitr, sed diam nonumy eirmod tempor invidunt ut labore et dolore magna aliquyam erat, sed diam voluptua. At vero eos et accusam et justo duo dolores et ea rebum. Stet clita kasd gubergren, no sea takimata sanctus est. Lorem ipsum dolor sit amet, consetetur sadipscing elitr, sed diam nonumy eirmod tempor invidunt ut labore et dolore magna aliquyam erat,

Lorem ipsum dolor sit amet, consetetur sadipscing elitr, sed diam nonumy eirmod tempor invidunt ut labore et dolore magna aliquyam erat, sed diam voluptua. At vero eos et accusam et justo duo dolores et ea rebum. Stet clita kasd gubergren, no sea takimata sanctus est. Lorem ipsum dolor sit amet, consetetur sadipscing elitr, sed diam nonumy eirmod tempor invidunt ut labore et dolore magna aliquyam erat, sed diam voluptua. At vero eos et accusam et justo duo dolores et ea rebum. Stet clita kasd gubergren, no sea takimata sanctus est. Lorem ipsum dolor sit amet, consetetur sadipscing elitr, sed diam nonumy eirmod tempor invidunt ut labore et dolore magna aliquyam erat, sed diam voluptua. At vero eos et accusam et justo duo dolores et ea rebum. Stet clita kasd gubergren, no sea takimata sanctus est. Lorem ipsum dolor sit amet, consetetur sadipscing elitr, sed diam nonumy eirmod tempor invidunt ut labore et dolore magna aliquyam erat, sed di-

DECORATIVE TEXT BLOCKS #1

Lorem ipsum dolor s
dlore magna aliquyan
diam nonumy eirmos
ro eos et accusam et ,
ipsum dolor sit amet,
agna aliquyam erat, s.
onumy eirmod tempo.
t accusam et justo du.
'olor sit amet, consete
quyam erat, sed diam
rirmod tempor invidu
m et justo duo dolors
amet, consetetur sadi
rat, sed diam volupt.
empor invidunt ut lat
to duo dolores et reb
onsetetur sadipscing
diam voluptua per
nvidunt ut labore.
lolores et rebum.
r sadipscing
oluptua per
ut labore.
et rebum.
cing
per

Lorem ipsum te
Omnes gallia di
Vincit hiberniae
Lorem ipsum te
Pie iesu domine
Omnes gallia di
Lorem ipsum te
Vincit hiberniae
Pie iesu domine
Omnes gallia di
Forto yirs akoil Vincit hiberniae
Omnes gallia di Lorem ipsum te
Vincit hiberniae Omnes gallia di
Lorem ipsum te Lorem ipsum te
Pie iesu domine Vincit hiberniae
Omnes gallia di Pie iesu domine
Lorem ipsum te
Vincit hiberniae
Pie iesu domine
Omnes gallia di
Vincit hiberniae
Lorem ipsum te
Omnes gallia di
Lorem ipsum te
Vincit hiberniae
Pie iesu domine

orem ipsum consetetur su
olore magna sed diam vo
d diam nonu npor invidum
t vero eos et a to duo dolore
rem ipsum do consetetur sau
ore magna alis ed diam volup.
fiam nonumy or invidunt ut
ro eos et accus. luo dolores et
ipsum dolor s tetur sadipsci
agna aliquyar um voluptua p
nonumy eirm idunt ut labo
s et accusam lolores et reb
um dolor sit ur sadipscing
gna aliquyam n voluptua pe
nonumy eirm idunt ut labo
s et accusam lolores et reb
sum dolor sit tur sadipscin
agna aliquya am voluptua r
m nonumy eir invidunt ut la
ro eos et accu luo dolores et
m ipsum dolc onsetetur sadip
ore magna ali ed diam volur
J diam nonum por invidunt
t vero eos et to duo dolore
orem ipsum c consetetur sa
olore magna sed diam vo

Lorem ipsum c
dolore magna al.
sed diam nonumy
At vero eos et accu.
Lorem ipsum dolor s
dolore magna aliquya.
sed diam nonumy eirmo
At vero eos et accusam et
Lorem ipsum dolor sit ame
dolore magna aliquyam erat,
sed diam nonumy eirmod tem
At vero eos et accusam et justo
Lorem ipsum dolor sit amet, con
dolore magna aliquyam erat, sed d
sed diam nonumy eirmod tempor in
At vero eos et accusam et justo duo de
Lorem ipsum dolor sit amet, consetetur
dolore magna aliquyam erat, sed diam vo
sed diam nonumy eirmod tempor invidunt
At vero eos et accusam et justo duo dolores
Lorem ipsum dolor sit amet, consetetur sadip
dolore magna aliquyam erat, sed diam voluptu,
sed diam nonumy eirmod tempor invidunt ut lab.
At vero eos et accusam et justo duo dolores et reb.
Lorem ipsum dolor sit amet, consetetur sadipscing
dolore magna aliquyam erat, sed diam voluptua per

Lorem ipsum dolor sit amet, consetetur sadipscing
dlore magna aliquyam erat, sed diam voluptua p
diam nonumy eirmod tempor invidunt ut lab
ro eos et accusam et justo duo dolores et re
n ipsum dolor sit amet, consetetur sadip
magna aliquyam erat, sed diam volup
nonumy eirmod tempor invidunt
c et accusam et justo duo dolore
im dolor sit amet, consetetur
a aliquyam erat, sed diam
my eirmod tempor invi
cusam et justo duo d
dlor sit amet, conse
uyam erat, sed
irmod tempo
n et justo
t amet,
erat
! p

Lorem ipsum dolor sit amet, consetetur sadipscing
dolore magna aliquyam erat, sed diam voluptua per
sed diam nonumy eirmod tempor invidunt ut labore.
At vero eos et accusam et justo duo dolores et rebum.

Lorem ipsum dolor sit amet, nonnumy, quo usque tandem hic
Voluptua in sit amet nonnumy, quo usque tandem hic
Eniam his tandem abuere Catilina patientia nostra quam
Lorem ipsum dolor sit amet, consetetur sadipscing elitr.
Voluptua in sit amet nonnumy, quo usque tandem hic
Eniam his tandem abuere Catilina patientia nostra quam
Lorem ipsum dolor sit amet, consetetur sadipscing elitr.
Voluptua in sit amet nonnumy, quo usque tandem hic
Eniam his tandem abuere Catilina patientia nostra quam
Lorem ipsum dolor sit amet, consetetur sadipscing elitr.
Voluptua in sit amet nonnumy, quo usque tandem hic
Eniam his tandem abuere Catilina patientia nostra quam
Lorem ipsum dolor sit amet, consetetur sadipscing elitr.
Voluptua in sit amet nonnumy, quo usque tandem hic
Eniam his tandem abuere Catilina patientia nostra quam
At vero eos et accusam et justo duo dolores et rebum.
sed diam nonumy eirmod tempor invidunt ut labore.
dolore magna aliquyam erat, sed diam voluptua per
Lorem ipsum dolor sit amet, consetetur sadipscing

em ipsum dolor sit amet, consetetur sadipscing
ore magna aliquyam erat, sed diam voluptua per
diam nonumy eirmod tempor invidunt ut labo
vero eos et accusam et justo duo dolores et reb
em ipsum dolor sit amet, consetetur sadipscing
ore magna aliquyam erat, sed diam voluptua p
mpor invidunt ut lab
justo duo dolores et
amet, consetetur sadip
n erat, sed diam volu
rmod tempor invidun
usam et justo duo dol
ior sit amet, conseten
aliquyam erat, sed dia
uumy eirmod tempor i
et accusam et justo c
sum dolor sit amet, cv
magna aliquyam erat.
am nonumy eirmod t
vero eos et accusam e
rem ipsum dolor sit amet, consetetur sadipscin
lore magna aliquyam erat, sed diam voluptua p
I diam nonumy eirmod tempor invidunt ut labo
vero eos et accusam et justo duo dolores et reb
rem ipsum dolor sit amet, consetetur sadipscin
lore magna aliquyam erat, sed diam voluptua p

Lorem ipsem dolor sit aet
Vincit omnia provincia vir
Mortosa ranosa per intelle
Vincit omnia provincia vir
Mortosa ranosa per intelle
Jibir kulet abkula salim gorenda pukilata gron cum laka
sed diam nonumy eirmod tempor inividunt ut labore et
dolore magna aliquym erat, sed diam voluptua. At vero
eos et accusam et justo duo dolmores et ea rebum. Stet
clita kasd gubergren, no sea takima indegebo mas iurax.
Moe larri enqurli nyuk wu
Vincit omnia provincia vir
Mortosa ranosa per intelle
Vincit omnia provincia vir
Mortosa ranosa per intelle
Vincit omnia provincia vir
Mortosa ranosa per intelle
rex inint.
Lorem hic
index piro
expaitriae
rex mnret.
Lorem hic
andex pro
expabtriae
rex inrpet.

DECORATIVE TEXT BLOCKS #2

Box 1 (top left):

Lorem ipsum dolor sit amet nihilne te nocturum
Ipsum dolor sit nihilne amet lorem te nocturum
Dolor sit amet nihilne te nocturum lorem ipsum
nihilne te nocturum lorem ipsum dolor sit amet

Sit amet nihilne te nocturum lorem ipsum dolor
nihilne te nocturum lorem ipsum dolor sit amet
dolor sit amet nihilne lorem ipsum te nocturum
ipsum dolor sit nocturum lorem amet nihilne te

Nihilne te lorem ipsum amet nocturum dolor sit
dolor sit lorem ipsum amet nihilne te nocturum
dolor sit amet nihilne te nocturum lorem ipsum
amet nihilne lorem te nocturum dolor sit nihilne

te nocturum lorem ipsum dolor sit amet nihilne
dolor sit amet nihilne te nocturum lorem ipsum
sit amet nihilne lorem ipsum te nocturum dolor
nihilne te lorem ipsum dolor sit amet nocturum

Box 2 (top right):

ipsum Lorem dolor sit amet nihilne te noctur

Lorem ipsum dolor sit amet nihilne te noctur

Pizza sans pasta nitro blasta dits

Pala con ferrari solta chez guerro sin bacca

Shvitz con plaitza molto buono rabd

Virgo leo capricorn fa taurus sagittaarius gum

Lorem ipsum dolor sit amet nihilne te noctur

Box 3 (second row left):

Ferrus oxide blendaroi stoner dik petulant po	Giort klaatu barata hit farder den yahula boni
Rorta bahnd refit core jimi plaiza meen aksa	Maga maga magazine jortle bingo quid setan
Fendi jaguar calvin yo mipp tipp sipp clipp tu	Jorma zappa dweezil o amet moon diva frank
Geraldo oprah phil tv sally johnny dave dick	Toga parti orgamus fit hukka roper ganja hoo
Jokka gonzo rapper ifa jama rama fa fa fa lor	Lorem ipsum dolor sit amet nihilne te noctur

Box 4 (second row right):

Lorem ipsum amet nihilne

Power hunta lama gorbini

Valli bambia driva beemer

Sacre bloom horti culture

Gisum punto likda vehola

Lorem ipsum amet nihilne

Head gamesa gitot nawam

Lowa prizes bonaf goma

Cheetah bev chukda mofo

Fissure lama greco manur

Blotto zuma cretin flema

Hunta mumb fellov cliff ow

Fonda pinot atit oniwaso

Wingi blome heza boogeri

Juma gormo fili ipsumora

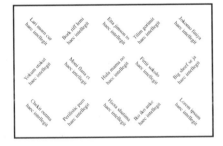

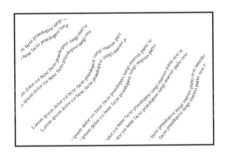

Box 7 (bottom left):

Sic meatm dolor est bene facto praedopest iungi marsus parto rest interfectus
Chujest bene facto praedopest iungi marsus parto rest interfectus apseleste
Larry moe and dolor est bene facto praedopest iungi marsus parto rest i
Analism retem0oolor est bene facto praedopest iungi marsus parto re
Fudgsit dolor est bene facto praedopest iungi marsus parto rest int
Charlie clitor est bene facto praedopest iungi marsus parto
Hector vieradolor est bene facto praedopest iungi marsus parto re
Koran eatsitr est bene facto praedopest iungi marsus p
Feraat caradolor est bene facto praedopest iungi mar
Jimi hendrix dolor est bene facto praedopest iungi mar
Shit cuntor est bene facto praedopest iungi marsus p
climi slimidolor est bene facto praedopest iung m
Lorem ipsum dolor est bene facto praedopest iun

Box 8 (bottom right):

Lari moen dolor est bene facto praedopest iungi marsus
Holi mulamdolor est bene facto praedopest iung
Sport juko dolor est bene facto praedopest iungi marsus
Vari moltordolor est bene facto praedopest iung
Komo perri dolor est bene facto praedopest iun
Horki mulam dolor est bene facto praedopest iungi m
Ex commanddolor est bene facto praedopest iungi m
Tomo wizardolor est bene facto praedopest iungi mar
Gorton ma dolor est bene facto praedopest iungi marsus p
Lorem ipsum dolor est bene facto praedopest iung

Lorem ipsum dolor sit amet, c etetur sadipscing elitr, sed diam nonumy   rmod tempor
invidunt ut labore et dolore   gna aliquyam
                erat, sed dia   voluptua. At
        vero eos et acc   m et justo duo
    dolores et ea   im. Stet clita
    kasd gubergre   o sea takimata
    sanctus est. L   n ipsum dolor
    sit amet, con   ur sadipscing
    elitr, sed diam   onumy eirmod
    tempor invid   ut labore et
    dolore magna   uyam erat, se
    diam voluptu   At vero eos e
    accusam et ju   duo dolores e
    ea rebum. Ste   ita kasd guber-
    gren, no sea   imata sanctu
    est. orem ipsi   dolor sit amet
    consetetur sa   cing elitr, sed
    diam nonum   irmod tempor
    invidunt ut   ore et dolore
    magna aliquy   erat, sed diam
    voluptua.   vero eos et
    accusam et ju   duo dolores et
    ea rebum. Si   clita kasd gubergren, no sea
    takimata sanc   est. Lorem ipsum dolor sit
    amet, consetet   adipscing elitr, sed diam non-

Lorem ipsum dolor
    sit amet, consetetur sadip-
    scing elitr, sed diam nonumy
        eirmod tempor inv-
        idunt ut labore et
    dolore magna aliq-
uyam erat, sed diam
voluptua. At vero
eos et accusam et justo duo
    dolores et ea rebum. Stet clita
        kasd gubergren, no sea taki-
            mata sanctus est.
        Lorem ipsum dolor
    sit amet, consetetur
sadipscing elitr, sed
diam nonumy eirmod
    tempor invidunt ut labore et
        dolore magna aliquyam erat,
            sed diam voluptua. At
                vero eos et accu-
            sam et justo duo
        dolores et ea rebum.
Stet clita kasd
gubergren, no sea taki-
        mata sanctus est. orem
            ipsum dolor sit amet,

Lorem   ipsum
dolor sit amet,
consetetur sadip-
scing elitr, sed
diam nonumy eir-
mod tempor inv-
idunt ut labore et
dolore magna ali-
quyam erat, sed justo duo dolores et ea rebum. At vero eos et
    accusam et justo duo dolores et ea rebum.
    Stet clita kasd gubergren, no sea taki-
        mata sanctus est. Lorem ipsum
        dolor sit amet, consetetur sadipscing
    elitr, sed diam nonumy eirmod tempor invidunt
    ut labore et dolore magna aliquyam erat, sed
diam voluptua. At
vero   eos   et
accusam et justo
duo dolores et ea
rebum. Stet clita
kasd gubergren,
no sea takimata
sanctus est. orem
ipsum dolor sit
amet, consetetur
sadipscing elitr,

Lorem dolo
sit amet, consetetur sadipscing elitr, sed
diam nonumy eir
mod tempor invidunt ut labore et dolo
re aliquya
m erat, sed diam voluptua. At v
ero eos et accu
sam et justo duo dolores et ea rebum.
Stet clita kasd
gubergren, no takimata sanctus es
t. ipsu
m dolor sit amet, consetetur sadip iacta scin
g elit, sed dia
m nonumy eirmod tempor invidunt u
t labore et d
olore magna erat, sed dia
etiam voluptua
At vero eos et accusam et justo du
o dolores et e
a rebum. Stet clita kasd gubergren album
sea takim
ata sanctus orem ipsum dolor
sit amet, con
setetur sadipscing elitr, sed diam
eiiam tu
rmod tempor invidunt ut e

Lorem
ipsum
dolor sit
amet,
consete-
tur
sadipsc-
i n g
elitr,
s e d
d i a m
nonumy
, eirmod

Lorem ipsum dolor
sit amet, consetetur
sadipscing elitr, sed
diam nonumy eir-
mod tempor invid-
unt ut labore et
dolore magna aliq-
yam erat, sed diam
voluptua. At vero
eos et accusam et
justo duo dolores et
ea rebum. Stet clita
kasd gubergren, no

Lorem
ipsum
dolor sit
amet,
consete-
tur
sadipsc-
i n g
elitr,
s e d
d i a m
nonumy
eirmod

L o r e m
i p s u m
dolor sit
amet,
consete-
tur
sadipsc-
i n g
elitr,
s e d
d i a m
nonumy
eirmod
ten
n

L o r e m
i p s u m
dolor sit
amet,
consete-
tur sadip-
scing
elitr, sed
d i a m
nonumy
eirmod

Lorem dolo
SIT AMET, CONSETETUR SADIPSCE
sit ex patriae
LOREM DOLOR SIT AMET
quo usque tandem abutere
QUO USQUE TANDEM
catilina patientia nostra
PATIENTIA NOSTRA QUAM
quam diu etiam furor
DIU ETIUAM FUROR TUUS NOS
iste nos eludet
EULDET QUEM AD FINEM SESE HIS
Lorem ipsum dolo
SIT AMET, SADIPSCE
sit omnia ex patriae
LOREM IPSEM DOLOR SIT AMET
quo usque tandem abutere
QUO USQUE TANDEM ABUTERE
catalina nostra
CATILINA NOSTRA QUAM
quam diu etiam furor
DIU ETIUAM FUROR ISTE TUUS NOS
iste tuus nos eludet
EULDET QUEM AD FINEM SESE HIS
sit omnia ex
LOREM IPSEM SIT AMET

---

invidunt ut labore et dolore magna aliquyam
ing elitr, sed diam nonumy eirmod tempor
invidunt ut labore et dolore magna aliquyam
Lorem ipsum dolor sit amet, consetetur sadipscing elitr, sed diam nonumy eirmod tempor
invidunt ut labore et dolore magna aliquyam

ing elitr, sed diam nonumy eirmod tempor

invidunt ut labore et dolore magna aliquyam

Lorem ipsum dolor sit amet, consetetur sadipsc-

ing elitr, sed diam nonumy eirmod tempor

invidunt ut labore et dolore magna aliquya

invidunt ut labore et dolore magna aliquya

m invidunt ut labore et dolore magna

m invidunt ut labore et dolore magna

Lorem ipsum dolor sit amet, cc   etetur s pscing c   r, sed diam nonumy   mod t ipor
invid   ut labore et dolore   gna ali yam
erat,   diam voluptua. At ver   os et ac sam
et jus   duo dolores et ea rebum   Stet cli
guber   n, no sea takimata san   s est.
sed c   n nonumy eirmod tem   r invic
labor   t dolore magna aliquya   r invic
volug   . At vero eos et accu   t et ju
dolor   et ea rebum. Stet clita   sd gub
no se   kimata sanctus est. ore   sum d
amet,   nsetetur sadipscing elit   ed dia
umy   mod tempor invidunt ut   bore et
magr   liquyam erat, sed dia   volupti
vero   i et accusam et justo d   dolore
rebur   Stet clita kasd guberge   o sea t
ta sar   is est. Lorem ipsum do   numy
setett   adipscing elitr, sed diam   numy
temp   n erat, sed diam volupti   olore
aliqu   erat, sed diam voluptu   At ven
accus   et justo duo dolores e   i rebun
clita l   d gubergren, no sea taki   ta sanc
Lorer   psum dolor sit amet, cc   tetur s
ing c   r, sed diam nonumy   mod t s
invid   ut labore et dolore l   gna ali

Lorem ipsum dolor sit amet, consectetur sadipscing elitr,
sed diam nonumy eirmod tempor invidunt ut labore et
dolore magna aliquyam erat, sed diam voluptua. At vero
eos et accusam et justo duo dolores et ea rebum. Stet clita
kasd gubergren, no sea takimata sanctus est. Lorem
ipsum dolor sit amet, consectetur sadipscing elitr, sed diam

Lorem ipsum dolor sit   voluptua. At vero eos et
amet, consectetur sadipscing   accusam et justo duo
elitr, sed diam nonumy eir-   dolores et ea rebum. Stet
mod tempor invidunt ut   clita kasd gubergren, no sea
labore et dolore magna   takimata sanctus est.
aliquyam erat, sed diam   Lorem ipsum dolor sit

Lorem ipsum dolor sit   aliquyam erat, sed diam
amet, consectetur sadipscing   voluptua. At vero eos et
elitr, sed diam nonumy eir-   accusam et justo duo
mod tempor invidunt ut   dolores et ea rebum. Stet
labore et dolore magna   clita kasd gubergren, no sea

Lorem ipsum dolor sit amet,
consectetur sadipscing elitr, sed
diam nonumy eirmod tempor
invidunt ut labore et dolore
magna aliquyam erat, sed diam
voluptua. At vero eos et
accusam et justo duo dolores et
ea rebum. Stet clita kasd gubergren, no sea takimata sanctus est.
Lorem ipsum dolor sit amet,
consectetur sadipscing elitr, sed

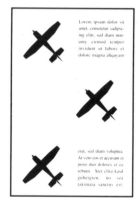

Lorem ipsum dolor sit
amet, consectetur sadipscing elitr, sed diam non-
umy eirmod tempor
invidunt ut labore et
dolore magna aliquyam

erat, sed diam voluptua.
At vero eos et accusam et
justo duo dolores et ea
rebum. Stet clita kasd
gubergren, no sea
takimata sanctus est.

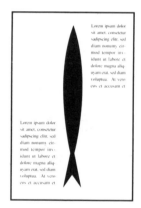

Lorem ipsum dolor
sit amet, consectetur
sadipscing elitr, sed
diam nonumy eir-
mod tempor inv-
idunt ut labore et
dolore magna aliq-
uyam erat, sed diam
voluptua. At vero
eos et accusam et

Lorem ipsum dolor
sit amet, consectetur
sadipscing elitr, sed
diam nonumy eir-
mod tempor inv-
idunt ut labore et
dolore magna aliq-
uyam erat, sed diam
voluptua. At vero
eos et accusam et

t litr, sed diam no r
dlaboreet dolore m
idLorem ipsam dok
t litr, sed diam no r
dlaboreet dolore m
idLorem ipsam dok

oreet dolore m
rem ipsam doli
, sed diam no r
oreet dolore m
rem ipsam doli

dlaboreet dolore magna erat. Stet
dLorem ipsam dolor sit amet, cor
t litr, sed diam no nermod tempor
dlaboreet dolore magna erat. Stet
dLorem ipsam dolor sit amet, cor

Lorem ipsum dolor
sit amet, consectetur

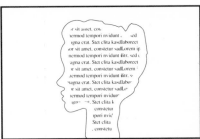

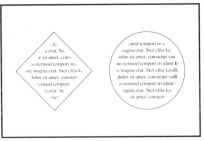

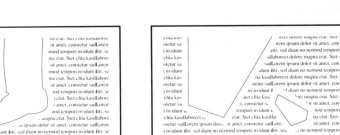

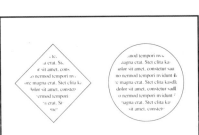

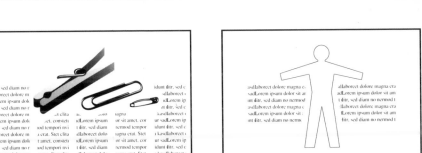

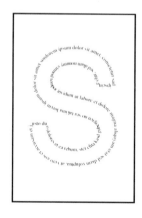

TEXT BLOCKS DEFINING SHAPES #2

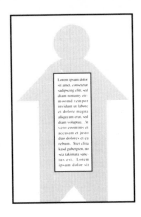
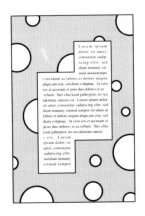
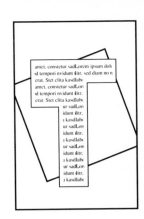

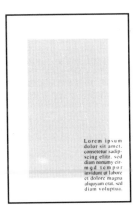

Lorem ipsum dolor sit amet, consetetur sadipscing elitr, sed diam nonumy eirmod tempor invidunt ut labore et dolore magna aliquyam erat, sed diam voluptua. At vero eos et accusam et justo duo dolores et ea rebum. Stet clita kasd gubergren, no sea takimata sanctus est. Lorem ipsum dolor sit amet, consetetur sadipscing elitr, sed diam nonumy eirmod tempor invidunt ut labore et dolore magna aliquyam erat, sed diam voluptua. At vero eos et accusam et justo duo dolores et ea rebum. Stet clita kasd gubergren, no sea takimata sanctus est, consetetur sadipscing elitr, sed diam nonumy eirmod tempor invidunt ut labore et dolore magna aliquyam erat, sed diam voluptua. At vero eos et accusam et justo duo

Lorem ipsum dolor sit amet, consetetur sadipscing elitr, sed diam nonumy eirmod tempor invidunt ut labore et dolore magna aliquyam erat, sed diam voluptua. At vero eos et accusam et justo duo dolores et ea rebum. Stet clita kasd gubergren, no sea takimata sanctus est. Lorem ipsum dolor sit amet, consetetur sadipscing elitr, sed diam nonumy eirmod tempor invidunt ut labore et dolore magna aliquyam erat, sed diam voluptua. At vero eos et accusam et justo duo dolores et ea rebum. Stet clita kasd gubergren, no sea takimata sanctus est. Lit Lorem ipsum dolor sit amet, consetetur sadipscing elitr, sed diam nonumy eirmod tempor invidunt ut labore et dolore magna

Lorem ipsum dolor sit amet, consetetur sadipscing elitr, sed diam nonumy eirmod tempor invidunt ut labore et dolore magna aliquyam erat. At vero eos et accusam et justo duo dolores et ea rebum. Stet clita kasd gubergren, no sea takimata sanctus est. Lorem ipsum dolor sit amet, consetetur sadipscing elitr, sed diam nonumy eirmod tempor invidunt ut labore et dolore magna aliquyam erat, sed diam voluptua. At vero eos et accusam et justo duo dolores et ea rebum.

Lorem ipsum dolor sit amet, consetetur sadipscing elitr, sed diam nonumy eirmod tempor invidunt ut labore et dolore magna aliquyam erat, sed diam dolores et ea rebum. Stet clita kasd gubergren, no

Mordecai dolor sit amet, consetetur sadipscing elitr, sed diam nonumy eirmod tempor invidunt ut labore et dolore magna aliquyam erat, sed diam dolores et ea rebum. Stet clita kasd gubergren, nofuma much.

Paleontic consetetur sadipscing elitr, sed diam nonumy eirmod tempor invidunt ut labore et dolore magna aliquyam erat, sed diam dolores et ea rebum. Stet clita kasd gubergren, no goucho prima.

Samiof verdante gringo verducci pleastante gomer pyle sed diam nonumy eirmod tempor invidunt ut labore et dolore magna aliquyam erat, sed diam dolores et ea rebum. Stet clita kasd gubergren, no.

Lorem ipsum dolor sit amet, consetetur sadipscing elitr, sed diam nonumy eirmod tempor invidunt ut dolore magna aliquyam erat, sed diam voluptua. At vero eos et accusam et justo duo dolores et ea rebum. Stet clita kasd gubergren, no sea takimata sanctus est. Lorem ipsum dolor sit amet, consetetur sadipscing elitr, sed

sed diam nonumy eirmod tempor invidunt ut labore et dolore magna aliquyam erat, sed diam voluptua. At vero eos et accusam et justo duo dolores et ea rebum. Stet clita kasd gubergren, no sea takimata sanctus est. Lorem ipsum dolor sit amet, consetetur sadipscing elitr, sed diam nonumy eirmod tempor invidunt ut labore et dolore magna aliquyam erat, sed diam voluptua. At vero eos et accusam et justo duo dolores et ea rebum. Stet clita kasd gubergren, no sea takimata sanctus est, consetetur sadipscing elitr, sed diam nonumy eirmod tempor invidunt ut labore et dolore magna aliquyam erat, sed diam voluptua. At vero eos et accusam et justo duo

---

Lorem ipsum dolor sit amet, consetetur sadipscing labore et dolore magna aliquyam erat, sed diam voluptua. At vero eos et accusam et justo duo

Ferus dolor sit amet, consetetur sadipscing gofer

pizza lambucota magna aliquyam erat, sed diam

Gringo mi casa eeno eos et accusam et justo duo

Lorem ipsum dolor sit amet, consetetur sadipscing elitr, sed diam nonumy eirmod tempor invidunt ut labore et dolore magna aliquyam erat, sed diam voluptua. At vero eos et accusam et justo duo dolores et ea rebum. Stet clita kasd gubergren, no sea takimata sanctus est. Lorem ipsum dolor sit amet, consetetur sadipscing elitr, sed diam nonumy eirmod tempor invidunt ut labore et dolore magna aliquyam erat, sed diam voluptua. At vero eos et accusam et justo duo dolores et ea rebum. Stet clita kasd gubergren, no sea takimata sanctus est. Lit Lorem ipsum dolor sit amet, consetetur sadipscing elitr, sed diam nonumy eirmod tempor invidunt ut labore et dolore magna

Lorem ipsum dolor sit amet, consetetur sadipscing elitr, sed diam nonumy eirmod tempor invidunt ut labore et dolore magna aliquyam erat, sed diam voluptua. At vero eos et accusam et justo duo dolores et ea rebum. Stet clita kasd gubergren, no sea takimata sanctus est. Lorem ipsum dolor sit amet, consetetur sadipscing elitr, sed diam nonumy eirmod tempor invidunt ut labore et dolore magna

Barney sit amet, consetetur sadipscing elitr, sed diam nonumy eirmod tempor invidunt ut labore et dolore magna aliquyam erat. At vero eos et accusam et justo duo dolores et ea rebum. Stet clita kasd guber mutha phuquin babygren, no sea takimata sanctus est. Lorem ipsum dolor sit amet, consetetur sadipscing elitr, sed diam nonumy eirmod tempor invidunt ut labore et dolore

TEXT ON TEXT

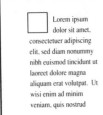

Lorem ipsum dolor sit amet, consectetuer adipiscing elit, sed diam nonummy nibh euismod tincidunt ut laoreet dolore magna aliquam erat volutpat. Ut wisi enim ad minim veniam, quis nostrud

Lorem ipsum dolor sit amet, consectetuer adipiscing elit, sed diam nonummy nibh euismod tincidunt ut laoreet dolore magna aliquam erat volutpat. Ut wisi enim ad minim veniam, quis nostrud

Lorem ipsum dolor sit amet, consectetuer adipiscing elit, sed diam nonummy nibh euismod tincidunt ut laoreet dolore magna aliquam erat volutpat. Ut wisi enim ad minim veniam, quis nostrud

Lorem ipsum dolor sit amet, consectetuer adipiscing elit, sed diam nonummy nibh euismod tincidunt ut laoreet dolore magna aliquam erat volutpat. Ut wisi enim ad minim veniam, quis nostrud

Lorem ipsum dolor sit amet, consectet fleuer adipiscing elit, sed diamus nonummy nibh euismod est tincidunt ut laoreet fadolore magna aliquam erat volutpat. Ut wisi enim gro ad minim

Lorem ipsum dolor sit amet, consectetuer adipiscing elit, sed diam nonummy nibh euismod tincidunt ut laoreet dolore magna aliquam erat volutpat. Ut

Lorem ipsum dolor sit amet, consectetuer adipiscing elit, sed diam nonummy nibh euismod tincidunt ut laoreet dolore magna aliquam erat volutpat. Ut wisi enim ad minim veniam, quis

Lorem ipsum dolor sit amet, consectetuer adipiscing elit, sed diam nonummy nibh euismod tincidunt ut laoreet dolore magna aliquam erat volutpat. Ut

Lorem ipsum dolor sit amet, consectetuer adipiscing elit, sed diam nonummy nibh euismod tincidunt ut laoreet dolore magna aliquam erat volutpat. Ut wisi enim ad

Lorem ipsum dolor sit amet, consectetuer adipiscing elit, sed diam nonummy nibh euismod tincidunt ut laoreet dolore magna aliquam erat volutpat. Ut wisi enim ad

Lorem ipsum dolor sit amet, consectetuer adipiscing elit, sed diam nonummy nibh euismod tincidunt ut laoreet dolore magna aliquam erat volutpat. Ut wisi enim ad minim veniam, quis nostrud exerci tation ullamcorper

Lorem ipsum dolor sit amet, consectetuer adipiscing elit, sed diam nonummy nibh euismod tincidunt ut laoreet dolore magna aliquam erat volutpat. Ut wisi enim ad

→ Lorem ipsum dolor sit amet, consetetur sadipscing elitr, sed diam nonumy eirmod tempor invidunt ut labore et dolore magna aliquyam erat, sed

Lorem ipsum dolor sit amet, consetetur sadipscing elitr, sed diam nonumy eirmod tempor invidunt ut labore et dolore magna aliquyam erat, sed

Lorem ipsum dolor sit amet, consetetur sadipscing elitr, sed diam nonumy eirmod tempor invidunt ut labore et dolore magna aliquyam erat, sed

Lorem ipsum dolor sit amet, consetetur sadipscing elitr, sed diam nonumy eirmod tempor invidunt ut labore et dolore magna aliquyam erat, sed diam

Lorem ipsum dolor sit amet, consetetur sadipscing elitr, sed diam nonumy eirmod tempor invidunt ut labore et dolore magna aliquyam erat,

Lorem ipsum dolor sit amet, consetetur sadipscing elitr, sed diam nonumy eirmod tempor invidunt ut labore et dolore magna aliquyam erat, sed

Lorem ipsum dolor sit amet, consetetur sadipscing elitr, sed diam nonumy eirmod tempor invidunt ut labore et dolore magna aliquyam erat, sed diam volup-

Lorem ipsum dolor sit amet, consetetur sadipscing elitr, sed diam nonumy eirmod tempor invidunt ut labore et dolore magna aliquyam erat, sed

● Lorem ipsum do-
○ lor sit amet, con-
○ setetur sadipscing
○ elitr, sed diam
○ nonumy eirmod
○ tempor invidunt
○ ut labore et dolore
○ magna aliquyam

Lorem ipsum dolor sit amet, consetetur sadipscing elitr, sed diam nonumy eirmod tempor invidunt ut labore et dolore magna aliquyam

Lorem ipsum dolor sit amet, consetetur sadipscing elitr, sed diam nonumy eirmod tempor invidunt ut labore et dolore magna aliquyam

Lorem ipsum dolor sit amet, consetetur sadipscing elitr, sed diam nonumy eirmod tempor invidunt ut labore et dolore magna aliquyam erat, sed di-

BEGINNING TEXT DEVICES #2

Lorem ipsum dolor sit amet, consetetur sadipscing elitr, sed diam nonumy eirmod tempor invidunt ut labore et dolore magna aliquyam erat, sed diam voluptua. At vero eos accusam et justo duo dolores

LOREM IPSUM DOLOR SIT consetetur sadipscing elitr, sed diam nonumy eirmod tempor invidunt ut labore et dolore magna aliquyam erat, sed diam voluptua. At vero eos et accusam et justo duo dolores

Lorem ipsum dolor sit amet, consetetur sadipscing elitr, sed diam nonumy eirmod tempor invidunt ut labore et dolore magna aliquyam erat, sed diam voluptua. At vero eos et

LOREM IPSUM DOLOR SIT AMET, CONSETETUR DIAM NON umy eirmod tempor invi dunt ut labore et dolore magna aliquyam erat, sed diam voluptua. At vero eos et accusam et justo

LOREM IPSUM DOLOR SIT AMET, CONSETETUR SAD IPSCING ELITR, SED DIAM nonumy eirmod tempor invi dunt ut labore et dolore magna aliquyam erat, sed diam volup- tua. At vero eos et accusam et

Lorem ipsum dolor sit amet, consetetur sad ipscing elitr, sed diam nonumy eirmod tempor invi dunt ut labore et dolore magna aliquyam erat, sed diam volup- tua. At vero eos et accusam et

Lorem ipsum dolor sit consetetur sadipscing elitr, sed diam nonumy eirmod tempor invidunt ut labore et dolore magna aliquyam erat, sed diam voluptua. At vero eos et accusam et justo duo dolores

LOREM IPSUM SITAV dolor consetetur sadipscing elitr, sed diam nonumy eirmod tempor invidunt ut labore et dolore magna aliquyam erat, sed diam voluptua. At vero eos accusam et justo duo dolores

TYPOGRAPHIC OPENERS #1

Lorem ipsum
dolor sit amet,
consela tetur
sadipscing elitr, sed diam nonumy eirmod tempor invidunt
ut labore et dolore magna
aliquyam erat, diam voluptua.

Lorem ipsum dolor
sit amet, consetetur
diam nonumy eirmod tempor
invidunt ut labore et dolore
magna aliquyam erat, sed
diam voluptua. At vero eos et
accusam et justo duo dolores

Lorem ipsum dolor sit amet,
consetetur sadipscing elitr, sed
diam nonumy eirmod tempor
invidunt ut labore et dolore
magna aliquyam erat, sed
diam voluptua. At vero eos et

Lorem ipsum dolor sit
amet, consetetur sadipscing
elitr, sed diam nonumy eirmod
tempor invidunt ut labore et
dolore magna aliquyam erat,
sed diam voluptua. At vero

Lorem
ipsum dolor sit amet, conset
etur sadipscing elitr, sed diam
·nonumy eirmod tempor invid
unt ut labore et dolore magna
aliquyam erat, sed diam volup

Lorem ipsum dolor sit amet,
consetetur sadipscing elitr, sed
diam nonumy eirmod tempor
invidunt ut labore et dolore
magna aliquyam erat, sed diam
voluptua. At vero eos et
accusam et justo duo dolores et

LOREM VERI SIT
consetetur sadipscing elitr, sed
diam nonumy eirmod tempor
invidunt ut labore et dolore
magna aliquyam erat, sed
diam voluptua. At vero eos et

L O R E M
consetetur sadipscing elitr, sed
diam nonumy eirmod tempor
invidunt ut labore et dolore
magna aliquyam erat, sed
diam voluptua. At vero eos et

Torem ipsum dolor sit amet, consetetur sadipscing elitr, sed diam nonumy eirmod tempor invidunt ut labore et dolore magna aliquyam erat, sed diam voluptua. At vero eos et accusam et justo duo dolores et ea rebum. Stet

Torem ipsum dolor sit amet, consetetur sadipscing elitr, sed diam nonumy eirmod tempor invidunt ut labore et dolore exit magna aliquyam erat, sed diam voluptua. At vero eos et accusam et justo duo dolores et ea rebum. Stet clita kasd gubergren, no sea takima Lorem ipsum dolor sit amet, consetetur sadip-

Torem ipsum dolor sit amet, consetetur sadipscing elitr, sed diam nonumy eirmod tempor invidunt ut amet, consetetur sadipus labore magna aliquyam erat, sed diam voluptua. At vero eos et accusam et justo duo dolores et ea rebum. Stet clita kasd gubergren, no sea takima Lorem ipsum dolor sit amet, consetetur

Torem ipsum dolor sit amet, consetetur sadipscing elitr, sed diam nonumy eirmod tempor invidunt ut labore et dolore exeunt magna aliquyam erat, sed diam voluptua. At vero eos et accusam et justo duo dolores et ea rebum. Stet clita kasd gubergren, no sea takima Lorem ipsum dolor sit amet, consetetur sadipscing elitr, sed diam nonumy eirmod

Torem ipsum dolor sit amet, consetetur sadipscing elitr, sed diam nonumy eirmod tempor invidunt ut labore et dolore exeunt magna aliquyam erat, sed diam voluptua. At vero eos et accusam et justo duo dolores et ea rebum. Stet clita kasd gubergren, no sea takima Lorem ipsum dolor sit amet, consetetur sadipscing elitr.

Torem ipsum dolor sit amet, consetetur sadipscing elitr, sed diam nonumy eirmod tempor invidunt ut labore et dolore exeunt magna aliquyam erat, sed diam voluptua. At vero eos et accusam et justo duo dolores et ea rebum. Stet clita kasd gubergren, no sea takima Lorem ipsum dolor sit amet, consetetur sadipscing elitr, sed diam nonumy eirmod tempor

Torem ipsum dolor sit amet, consetetur sadipscing elitr, sed diam nonumy eirmod tempor invidunt ut labore et dolore exeunt magna aliquyam erat, sed diam voluptua. At vero eos et accusam et justo duo dolores et ea rebum. Stet clita kasd gubergren, no sea takima Lorem ipsum dolor sit amet, consetetur sadipscing elitr.

THE orem ipsum dolor sit amet, consetetur sadipscing elitr, sed diam nonumy eirmod tempor invidunt ut labore et dolore exeunt magna aliquyam erat, sed diam voluptua. At vero eos et accusam et justo duo dolores et ea rebum. Stet clita kasd gubergren, no sea takima Lorem ipsum dolor sit

THE orem ipsum dolor sit amet, consetetur sadipscing elitr, sed diam nonumy eirmod tempor invidunt ut labore et dolore exeunt magna aliquyam erat, sed diam voluptua. At vero eos et accusam et justo duo dolores et ea rebum. Stet clita kasd gubergren, no sea takima Lorem ipsum dolor sit

THE orem ipsum dolor sit amet, consetetur sadipscing elitr, sed diam nonumy eirmod tempor invidunt ut labore et dolore exeunt magna aliquyam erat, sed diam voluptua. At vero eos et accusam et justo duo dolores et ea rebum. Stet clita kasd gubergren, no sea takima Lorem ipsum dolor sit

T·H·E orem ipsum dolor sit amet, consetetur sadipscing elitr, sed diam nonumy eirmod tempor invidunt ut labore et dolore exeunt magna aliquyam erat, sed diam voluptua. At vero eos et accusam et justo duo dolores et ea rebum. Stet clita kasd gubergren, no sea takima Lorem ipsum dolor sit amet, consetetur sadipscing elitr.

T orem ipsum dolor sit amet, consetetur sadipscing elitr, sed diam nonumy eirmod tempor invidunt ut labore et dolore exeunt magna aliquyam erat, sed diam voluptua. At vero eos et accusam et justo duo dolores et ea rebum. Stet clita kasd guber-

orem ipsum dolor sit amet, consetetur sadipscing elitr, sed diam nonumy eirmod tempor invidunt ut labore et dolore magna aliquyam erat, sed diam voluptua. At vero eos et accusam et justo duo dolores et ea rebum. Stet clita kasd gubergren, no sea takima Lorem

Lorem ipsum dolor sit amet, consetetur sadipscing elitr, sed diam nonumy eirmod tempor invidunt ut labore et dolore magna aliquyam erat, sed diam voluptua. At vero eos et accusam et justo duo dolores et ea rebum. Stet clita kasd gubergren, no sea takima Lorem

orem ipsum dolor sit amet, consetetur sadipscing elitr, sed diam nonumy eirmod tempor invidunt ut labore et dolore magna aliquyam erat, sed diam voluptua. At vero eos et accusam et justo duo dolores et ea rebum. Stet clita kasd gubergren, no sea takima Lorem

orem ipsum dolor sit amet, consetetur sadipscing elitr, sed diam nonumy eirmod tempor invidunt ut labore et dolore magna aliquyam erat, sed diam voluptua. At vero eos et accusam et justo duo dolores et ea rebum. Stet clita kasd gubergren, no sea takima Lorem

orem ipsum dolor sit amet, consetetur sadipscing elitr, sed diam nonumy eirmod tempor invidunt ut labore et dolore magna aliquyam erat, sed diam voluptua. At vero eos et accusam et justo duo dolores et ea rebum. Stet clita kasd gubergren, no sea takima Lorem

orem ipsum dolor sit amet, consetetur sadipscing elitr, sed diam nonumy eirmod tempor invidunt ut labore et dolore magna aliquyam erat, sed diam voluptua. At vero eos et accusam et justo duo dolores et ea rebum. Stet clita kasd gubergren, no sea takima Lorem

orem ipsum dolor sit amet, consetetur sadipscing elitr, sed diam nonumy eirmod tempor invidunt ut labore et dolore magna aliquyam erat, sed diam voluptua. At vero eos et accusam et justo duo dolores et ea rebum. Stet clita kasd gubergren, no sea takima Lorem

orem ipsum dolor sit amet, consetetur sadipscing elitr, sed diam nonumy eirmod tempor invidunt ut labore et dolore magna aliquyam erat, sed diam voluptua. At vero eos et accusam et justo duo dolores et ea rebum. Stet clita kasd gubergren, no sea takima Lorem

orem ipsum dolor sit amet, consetetur sadipscing elitr, sed diam nonumy eirmod tempor invidunt ut labore et dolore magna aliquyam erat, sed diam voluptua. At vero eos et accusam et justo duo dolores et ea rebum. Stet clita kasd gubergren, no sea takima Lorem

orem ipsum dolor sit amet, consetetur sadipscing elitr, sed diam nonumy eirmod tempor invidunt ut labore et dolore magna aliquyam erat, sed diam voluptua. At vero eos et accusam et justo duo dolores et ea rebum. Stet clita kasd gubergren, no sea takima Lorem

orem ipsum dolor sit amet, consetetur sadipscing elitr, sed diam nonumy eirmod tempor invidunt ut labore et dolore magna aliquyam erat, sed diam voluptua. At vero eos et accusam et justo duo dolores et ea rebum. Stet clita kasd gubergren, no sea takima Lorem

orem ipsum dolor sit amet, consetetur sadipscing elitr, sed diam nonumy eirmod tempor invidunt ut labore et dolore magna aliquyam erat, sed diam voluptua. At vero eos et accusam et justo duo dolores et ea rebum. Stet clita kasd gubergren, no sea takima Lorem

INITIAL CAPS #2

Agricola ipsum pro dolor sit amet, ire consetetur sadipscing elitr, sed diam nonumy eirmod tempor invidunt ut labore et dolore magna aliquyam erat, sed diam voluptua. At vero eos et accusam et justo duo dolores et ea rebum. Stet clita kasd gubergren, no sea takima Lorem ipsum dolor sit amet, consetetur sadipscing elitr, sed diam nonumy eirmod tempor invidunt ut labore et dolore magna aliquyam erat, sed diam voluptua. At vero eos et accusam et justo duo dolores et ea rebum. Stet clita kasd gubergren, no sea takima Lorem ipsum dolor sit amet, consetetur sadipscing

Sabula ipsum dolor sit amet, consetetur sadipscing elitr, sed diam nonumy eirmod tempor invidunt ut labore et dolore magna aliquyam erat, sed diam voluptua. At vero eos et accusam et justo duo dolores et ea rebum. Stet clita kasd gubergren, no sea takima Lorem ipsum dolor sit amet, consetetur sadipscing elitr, sed diam nonumy eirmod tempor invidunt ut labore et dolore magna aliquyam erat, sed diam voluptua. At vero eos et accusam et justo duo dolores et ea rebum. Stet clita kasd gubergren, no sea taki-

abula ipsum dolor sit amet, consetetur sadipscing elitr, sed diam nonumy eirmod tempor invidunt ut la bore et dol ore magna ali qu ya erat, sed di am voluptua. At vero eos et acc usam et justo duo dol

mbula per ipsum dolor sit amet, consetetur sadipscing elitr, sed diam nonumy eirmod tempor invidunt ut labore et dolore magna aliquyam erat, sed diam voluptua. At vero eos et accusam et justo duo dolores et ea rebum. Stet clita kasd gubergren, no sea takima Lorem ipsum dolor sit amet, consetetur sadipscing

Magna ipsum dolor sit amet, consetetur sadipscing elitr, sed diam nonumy eirmod tempor invidunt ut labore et dolore magna aliquyam erat, sed diam voluptua. At vero eos et accusam et justo duo dolores et ea rebum. Stet clita

it amet ipsum dolor sit amet, conse tetur sadipscing elitr, sed diamol non umy eimod te mor invidunt ut labore et dolore magna aliquyam erat, sed dia mai oltua. At vero eos et ac cusam et just olamina duo dolores et ea reburim. Stet clita kloasd

ex et m ipsum dolor sit amet, consetetur sadipscing elitr, sed diam non- umy eirmod tempor invidunt ut labore et dolore magna aliquyam erat, sed diam voluptua. At vero eos et accusam et justo duo dolores et ea rebum. Stet clita kasd gubergren, no sea takima Lorem ipsum dolor sit amet, con- setetur sadipscing elitr, sed diam nonumy eirmod tempor invidunt

Wippo plus maior apud ex Lorem ipsum dolor sit a dolor sit amet, scing elitr, sed diam nonumy eirmod tempor invidunt ut labore et dolore magna aliquyam erat, sed diam voluptua. At vero eos et accusam et justo duo dolores et ea rebum. Stetclita kasd gubergren, no sea takima Lorem ipsum dolor sit amet, consetetur sadipscing elitr,

anctus ipsum dolor sit amet, con- setetur sadipscing elitr, sed diam non- umy eirmod tempor invidunt ut labore et dolore magna aliquyam erat, sed diam voluptua. At vero eos et accusam et justo duo dolores et ea rebum. Stet clita kasd gubergren, no sea taki- ma Lorem ipsum dolor sit amet, consetetur sadipscing elitr, sed diam nonumy eirmod tempor invidunt ut labore et dolore magna aliquyam erat, sed diam

RADICAL INITIAL CAPS

"Lorem ipsum dolor sit amet, consetetur elitr, sed diam non-umy invidunt semis ut et dolore."

"Lorem ipsum dolor sit amet, consetetur elitr, sed diam non-umy invidunt semis ut et dolore."

"Lorem ipsum dolor sit amet, consetetur elitr, sed diam non-umy invidunt semis ut et dolore."

"Lorem ipsum dolor con-setetur sing lumy semis et dolore."

"Lorem ipsum dolor con-setetur semis et dolore."

"Lorem ipsum dolor semper semis et dolore."

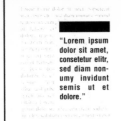

L **orem ipsum dolor amet, elitr, invit ut olore. Lorem ipsum dolor amet, elitr, ut opus dolore"**

"Lorem ipsem dolor sit amet nunc pro vivit grex nihilne te aus nocturum paresidium per palatii sunt."

"Lorem ipsum dolor sit amet, con-setetur sadipscing elitr lorem ipsum dolor sit amet."

"Lorem ipsum dolor sit amet, consetetur sadipscing elit."

"Lorem ipsum dolor sit amet, consetetur sad-ipscing elitr, diam nonumy invidunt semi."

"Lorem ipsem dolor sit amet effyu."

ORDERING
INFORMATION

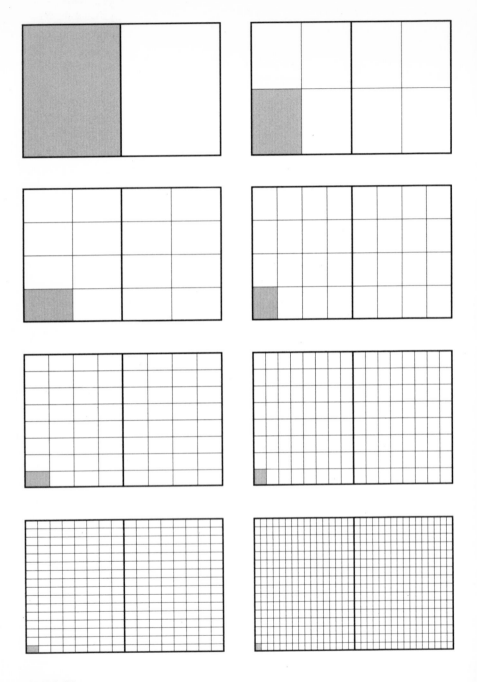

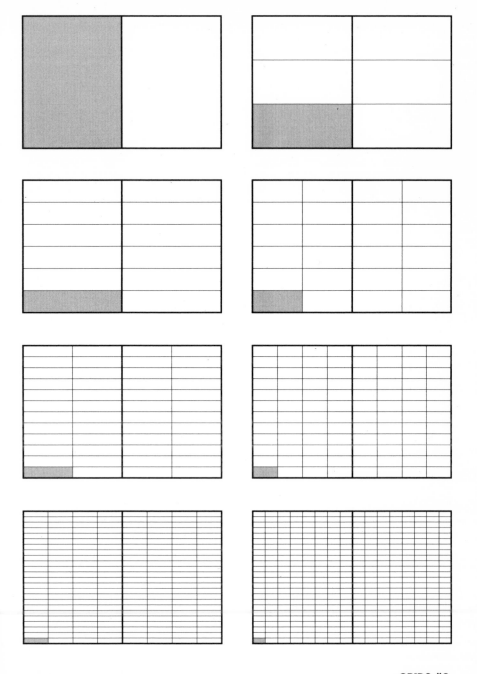

GRIDS #2

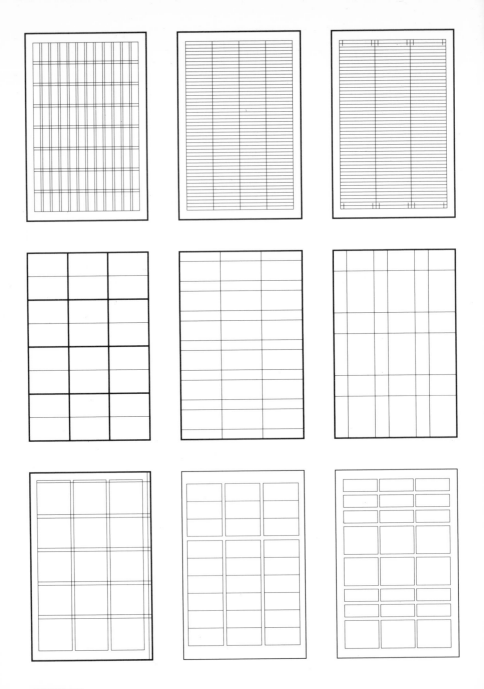

GRIDS #3

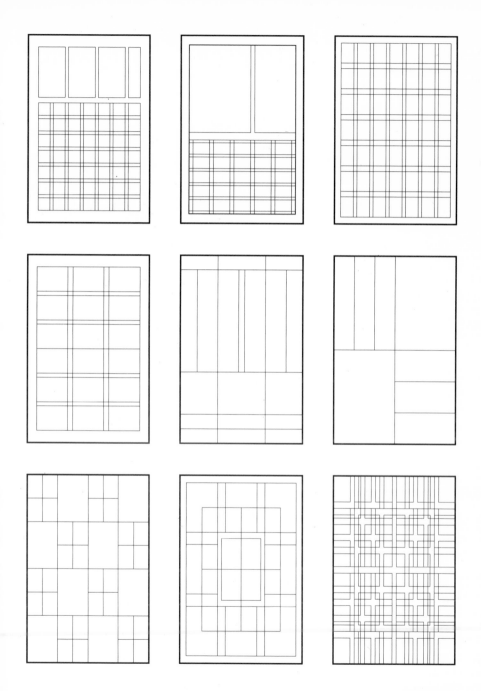

GRIDS #4

STROMFIL

Lorem ipsum dolor sit amet, constetur sadipsing elitr, sed diam nonumy ermod tempor invidunt ut magna erat. Stet clita kasd, no sea tempor invidunt ut takmant sanctus accusam et justo tempor invidunt ut duo et ea rebum.

JIDA

Tu Seamlo Vera

Lorem ipsum dolor sit amet, constetur sadipsing elitr, sed diam nonumy ermod tempor invidunt ut

STROMFIL

Lorem ipsum dolor sit amet, constetur sadipsing elitr, sed diam nonumy ermod tempor invidunt ut magna erat. Stet clita kasd, no sea tempor invidunt ut takmant sanctus accusam et justo tempor invidunt ut duo et ea rebum.

JIDA

Tu Seamlo Vera

Lorem ipsum dolor sit amet, constetur sadipsing elitr, sed diam nonumy ermod tempor invidunt ut

STROMFIL

JIDA

Tu Seamlo Vera

STROMFIL

JIDA

Tu Seamlo Vera

STROMFIL

Lorem ipsum dolor sit amet, constetur sadipsing elitr, sed diam nonumy ermod tempor invidunt ut magna erat. Stet clita kasd, no sea tempor invidunt ut takmant sanctus accusam et justo tempor invidunt ut duo et ea rebum.

JIDA

Tu Seamlo Vera

Lorem ipsum dolor sit amet, constetur sadipsing elitr, sed diam nonumy ermod tempor invidunt ut

STROMFIL

Lorem ipsum dolor sit amet, constetur sadipsing elitr, sed diam nonumy ermod tempor invidunt ut magna erat. Stet clita kasd, no sea tempor invidunt ut takmant sanctus accusam et justo tempor invidunt ut duo et ea rebum.

JIDA

Tu Seamlo Vera

STROMFIL

JIDA

Tu Seamlo Vera

STROMFIL

Lorem ipsum dolor sit amet, constetur sadipsing elitr, sed diam nonumy ermod tempor invidunt ut magna erat. Stet clita kasd, no sea tempor invidunt ut takmant sanctus accusam et justo tempor invidunt ut duo et ea rebum.

JIDA

Tu Seamlo Vera

STROMFIL

JIDA

Tu Seamlo Vera

Lorem ipsum dolor sit amet, constetur sadipsing elitr, sed diam nonumy ermod tempor invidunt ut

ESTABLISHING HIERARCHY WITH GRAY TONES

ZOLT SERVUM ERA

Ti Pablum Hero

Lorem ipsum dol or sit amet, cons tetur sadipsing e litr, sed diam no nermod tempori nvidunt ut labore et dolore magna erat. Stet clita k asd, no sea takm ant sanctus est. Atvero eos et ac cusam et justo d uo et ea rebum.

Lorem ipsum dol or sit amet, cons tetur sadipsing e litr, sed diam no nermod tempori nvidunt ut labore et dolore magna erat. Stet clita k asd, no sea takm ant sanctus est. Atvero eos et ac cusam et justo d uo et ea rebum.

ZOLT SERVUM ERA

Ti Pablum Hero

Lorem ipsum dol or sit amet, cons tetur sadipsing e litr, sed diam no nermod tempori nvidunt ut labore et dolore magna erat. Stet clita k asd, no sea takm ant sanctus est. Atvero eos et ac cusam et justo d uo et ea rebum.

Lorem ipsum dol or sit amet, cons tetur sadipsing e litr, sed diam no nermod tempori nvidunt ut labore et dolore magna erat. Stet clita k asd, no sea takm ant sanctus est. Atvero eos et ac cusam et justo d uo et ea rebum.

ZOLT SERVUM ERA

Ti Pablum Hero

Lorem ipsum dol or sit amet, cons tetur sadipsing e litr, sed diam no nermod tempori nvidunt ut labore et dolore magna erat. Stet clita k asd, no sea takm ant sanctus est. Atvero eos et ac cusam et justo d uo et ea rebum.

Lorem ipsum dol or sit amet, cons tetur sadipsing e litr, sed diam no nermod tempori nvidunt ut labore et dolore magna erat. Stet clita k asd, no sea takm ant sanctus est. Atvero eos et ac cusam et justo d uo et ea rebum.

ZOLT SERVUM ERA

Ti Pablum Hero

Lorem ipsum dol or sit amet, cons tetur sadipsing e litr, sed diam no nermod tempori nvidunt ut labore et dolore magna erat. Stet clita k asd, no sea takm ant sanctus est. Atvero eos et ac cusam et justo d uo et ea rebum.

Lorem ipsum dol or sit amet, cons tetur sadipsing e litr, sed diam no nermod tempori nvidunt ut labore et dolore magna erat. Stet clita k asd, no sea takm ant sanctus est. Atvero eos et ac cusam et justo d uo et ea rebum.

ZOLT SERVUM ERA

Ti Pablum Hero

Lorem ipsum dol or sit amet, cons tetur sadipsing e litr, sed diam no nermod tempori nvidunt ut labore et dolore magna erat. Stet clita k asd, no sea takm ant sanctus est. Atvero eos et ac cusam et justo d uo et ea rebum.

Lorem ipsum dol or sit amet, cons tetur sadipsing e litr, sed diam no nermod tempori nvidunt ut labore et dolore magna erat. Stet clita k asd, no sea takm ant sanctus est. Atvero eos et ac cusam et justo d uo et ea rebum.

ZOLT SERVUM ERA

Ti Pablum Hero

Lorem ipsum dol or sit amet, cons tetur sadipsing e litr, sed diam no nermod tempori nvidunt ut labore et dolore magna erat. Stet clita k asd, no sea takm ant sanctus est. Atvero eos et ac cusam et justo d uo et ea rebum.

Lorem ipsum dol or sit amet, cons tetur sadipsing e litr, sed diam no nermod tempori nvidunt ut labore et dolore magna erat. Stet clita k asd, no sea takm ant sanctus est. Atvero eos et ac cusam et justo d uo et ea rebum.

ZOLT SERVUM ERA

Ti Pablum Hero

Lorem ipsum dol or sit amet, cons tetur sadipsing e litr, sed diam no nermod tempori nvidunt ut labore et dolore magna erat. Stet clita k asd, no sea takm ant sanctus est. Atvero eos et ac cusam et justo d uo et ea rebum.

Lorem ipsum dol or sit amet, cons tetur sadipsing e litr, sed diam no nermod tempori nvidunt ut labore et dolore magna erat. Stet clita k asd, no sea takm ant sanctus est. Atvero eos et ac cusam et justo d uo et ea rebum.

ZOLT SERVUM ERA

Ti Pablum Hero

Lorem ipsum dol or sit amet, cons tetur sadipsing e litr, sed diam no nermod tempori nvidunt ut labore et dolore magna erat. Stet clita k asd, no sea takm ant sanctus est. Atvero eos et ac cusam et justo d uo et ea rebum.

Lorem ipsum dol or sit amet, cons tetur sadipsing e litr, sed diam no nermod tempori nvidunt ut labore et dolore magna erat. Stet clita k asd, no sea takm ant sanctus est. Atvero eos et ac cusam et justo d uo et ea rebum.

ZOLT SERVUM ERA

Ti Pablum Hero

Lorem ipsum dol or sit amet, cons tetur sadipsing e litr, sed diam no nermod tempori nvidunt ut labore et dolore magna erat. Stet clita k asd, no sea takm ant sanctus est. Atvero eos et ac cusam et justo d uo et ea rebum.

Lorem ipsum dol or sit amet, cons tetur sadipsing e litr, sed diam no nermod tempori nvidunt ut labore et dolore magna erat. Stet clita k asd, no sea takm ant sanctus est. Atvero eos et ac cusam et justo d uo et ea rebum.

HAIRLINE PLACEMENT VARIATIONS

Lorem ipsum dolor sit amet, consetetur sadipscing elitr, sed diam nonumy eirmod <u>tempor</u> invidunt ut labore et dolore magna aliquyam erat, sed diam voluptua. At vero eos et accusam et justo duo dolores et ea rebum. Stet clita kasd gubergren, no sea takimata <u>sanctus</u> est. Lorem ipsum dolor sit amet, consetetur sadipscing elitr, sed diam nonumy eirmod tempor invidunt ut labore et dolore magna

Lorem ipsum dolor sit amet, **consetetur** sadipscing elitr, sed diam nonumy eirmod tempor invidunt ut labore et dolore magna aliquyam erat, sed diam voluptua. At vero eos et accusam et **justo** duo dolores et ea rebum. Stet clita kasd gubergren, no sea takimata sanctus est. Lorem ipsum dolor sit amet, **consetetur** sadipscing elitr, sed diam nonumy eirmod tempor invidunt ut

Lorem ipsum dolor sit amet, consetetur sadipscing elitr, sed diam nonumy eirmod TEMPOR invidunt ut labore et dolore magna aliquyam erat, sed diam voluptua. At vero eos et accusam et justo duo dolores et ea rebum. Stet clita kasd gubergren, no sea TAKIMATA sanctus est. Lorem ipsum dolor sit amet, consetetur sadipscing elitr, sed diam nonumy eirmod tempor invidunt ut labore et dolore magna

Lorem ipsum dolor sit amet, consetetur sadipscing elitr, sed diam nonumy eirmod tempor invidunt ut labore et dolore magna aliquyam erat, sed diam voluptua. At vero eos et accusam et justo duo **dolores** et ea rebum. Stet clita kasd gubergren, no sea takimata sanctus est. Lorem ipsum dolor sit amet, consetetur sadipscing elitr, sed diam nonumy eirmod **tempor** invidunt ut labore et dolore magna

Lorem ipsum dolor sit amet, consetetur sadipscing elitr, sed diam nonumy eirmod tempor invidunt ut labore et dolore magna aliquyam erat, sed diam `voluptua.` At vero eos et accusam et justo duo dolores et ea rebum. Stet clita kasd gubergren, no sea takimata sanctus est. Lorem ipsum dolor sit amet, consetetur sadipscing elitr, sed diam nonumy eirmod tempor `invidunt` ut labore et dolore magna

Lorem ipsum dolor sit amet, consetetur sadipscing elitr, sed diam nonumy eirmod tempor invidunt ut labore et dolore magna aliquyam erat, sed diam voluptua. At vero eos et accusam et justo duo dolores et ea rebum. Stet clita kasd gubergren, no sea takimata sanctus est. Lorem ipsum dolor sit amet, consetetur sadipscing elitr, sed diam nonumy eirmod tempor invidunt ut labore et dolore magna

Lorem ipsum dolor sit amet, consetetur sadipscing elitr, sed diam nonumy eirmod tempor invidunt ut labore et dolore magna aliquyam erat, sed diam voluptua. At vero eos et accusam et justo duo dolores et ea rebum. Stet clita kasd gubergren, no sea takimata sanctus est. Lorem ipsum dolor sit amet, consetetur sadipscing elitr, sed diam nonumy eirmod tempor invidunt ut labore et dolore magna

Lorem ipsum dolor sit amet, consetetur sadipscing elitr, sed diam non-umy eirmod tempor invidunt ut labore et dolore magna aliquyam erat, sed diam voluptua. At vero eos et accusam et justo duo dolores et ea rebum. Stet clita kasd gubergren, no sea takimata sanctus est. Lorem ipsum dolor sit amet, consetetur sadipscing elitr, sed diam non-umy eirmod tempor invidunt ut labore et dolore

Lorem ipsum dolor sit amet, consetetur sadipscing elitr, sed diam nonumy eirmod tempor invidunt ut labore et dolore magna aliquyam erat, sed diam voluptua. At vero eos et accusam et **AMET** duo dolores et ea rebum. Stet clita kasd gubergren, no sea takimata sanctus est. Lorem ipsum dolor sit, consetetur sadipscing elitr, sed diam nonumy eirmod tempor invidunt ut labore et dolore magna aliquyam

HIGHLIGHTING ELEMENTS IN A PARAGRAPH

Panel 1

HARLSY

Mm dolor sit amet adipsing sed dia por invidunt ut agna erat. Stet c i takmant sanctu

Atvero eos et accu invidunt

Lorem ipsum dolor sit amet

Lorem ipsum dolor sit amet

constetur sadipsing sed dia

nermod tempor invidunt ut

et dolore magna erat. Stet c

kasd, no sea takmant sanctu

TY GORLI FERBIS

Panel 2

HARLSY

TY GORLI FERBIS

Trem ipsum dolor sit amet, constetur sadipsing sed nermod tempor invidunt ut labore et dolore magna era: kasd, no sea takmant sanctus est. Atvero eos et accu i: Lorem ipsum dol ur sadipsing sed nermod tempor ii dolore magna era: kasd, no sea takn vero eos et accu i: Lorem ipsum dol ur sadipsing sed nermod tempor ii dolore magna era: kasd, no sea takn vero eos et accu i: Lorem ipsum dolor sit amet, constetur sadipsing sed nermod tempor invidunt ut labore et dolore magna era: kasd, no sea takmant sanctus est. Atvero eos et accu i:

Panel 3

HARLSY

Sorem ipsum dolor si constetur sadipsing nermod tempor invi et dolore magna era: kasd, no sea takman Atvero eos et accu i Lorem ipsum dolor Lorem ipsum dolor constetur sadipsing nermod tempor invi et dolore magna era: kasd, no sea Atvero eos c Lorem ipsun

Lorem ipsum dolor constetur sadipsing nermod tempor invi- et dolore magna era: kasd, no sea takman Lorem ipsum dolor Lorem ipsum dolor constetur sadipsing nermod tempor invi- et dolore magna era: no sea takman o eos et accu i i ipsum dolor

TY GORLI FERBIS

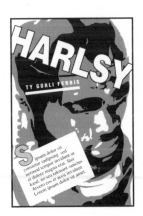

Panel 4

HARLSY

Mm dolor adipsing por invi- agna era: i takman Atvero eos et accu i Lorem ipsum dolor Lorem ipsum dolor constetur sadipsing nermod tempor invi- et dolore magna era: kasd, no sea takman Atvero eos et accu i Lorem ipsum dolor Lorem ipsum dolor constetur sadipsing nermod tempor invi- et dolore magna era: kasd, no sea takman Atvero eos et accu i Lorem ipsum dolor

Ty Gorli Ferbis

Panel 5

HARLSY

Lorem ipsum dolor constetur sadipsing nermod tempor invi- et dolore magna era: kasd, no sea takman Atvero eos et accu i Lorem ipsum dolor

Lorem ipsum dolor constetur sadipsing nermod tempor invi- et dolore magna era: kasd, no sea takman Atvero eos et accu i Lorem ipsum dolor

TY GORLI FERBIS

Panel 6

HARLSY

Tdolor sit amet, constetur sadipsing sed diam no nermod tempor invidunt ut labore et dolore magna erat. Stet clita kasd, no sea takmant sanctus est. Atvero eos et accu invidunt ut. Lorem ipsum dolor sit amet.

Ty Gorli Ferbis

Panel 7

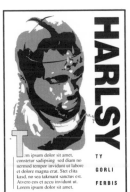

HARLSY

T:m ipsum dolor sit amet, constetur sadipsing sed diam no nermod tempor invidunt ut labore et dolore magna erat. Stet clita kasd, no sea takmant sanctus est. Atvero eos et accu invidunt ut. Lorem ipsum dolor sit amet.

TY GORLI FERBIS

Panel 8

Spsum dolor sit amet, ur sadipsing sed diam no tempor invidunt ut labor: magna erat. Stet clita kasd, no sea takmant sanctus est. Atvero eos et accu invidunt ut. Lorem ipsum dolor sit amet.

TY GORLI FERBIS

HARLSY

Panel 9

HARLSY

TY GORLI FERBIS

Sipsum dolor sit constetur sadipsing sed nermod tempor invidunt ut et dolore magna erat. Stet kasd, no sea takmant sanctus Atvero eos et accu invidunt Lorem ipsum dolor sit amet.

KAHN NO KAHN

Lorem ipsum
Erat vivatar
valor ritko a
non plurala
Nostro fugit.

gna erat. Stet clita kasdlaboreet dolore magna era
sit amet, constetur sadLorem ipsum dolor sit am
rmod tempori nvidunt ﬂitr, sed diam no nermod t

diam no nermod t
ooreet dolore magna era
orem ipsum dolor sit am
tr, sed diam no nermod t
aboreet dolore magna era
orem ipsum dolor sit am
tr, sed diam no nermod t

```
T  L  V
A  O  A  L
R     E  L
E     O
M  R
```

Lorem ipsumsit am constetur.
Erat vivatar valor non plura.
Nostro fugit edicio con fama.

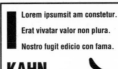

KAHN ON KAHN

i nvidunt ﬂitr, sed | no nermod tempori n'
clita kasdlaboreet | re magna erat. Stet cli
istetur sadLorem ip | i dolor sit amet, conste
i nvidunt ﬂitr, sed | re magna erat. Stet cli
clita kasdlaboreet | i dolor sit amet, conste
istetur sadLorem ip |
i nvidunt ﬂitr, sed (|
clita kasdlaboreet | TA LOREM VALO

KAHN

erat. Stet clit
amet, constet
nermod tempori nv
nagna erat. Stet clit
lor sit amet, constet
nermod tempori nv
nagna erat. Stet clit
lor sit amet, constet
nermod tempori nv
nagna erat. Stet clit

Lorem ipsum
amet const.
Erat vivatar
non plura.

ON

KAHN

.orem ipsum dolor sit am
tr, sed diam no nermod t
aboreet dolore magna era
.orem ipsum dolor sit am
tr, sed diam no nermod t
aboreet dolore magna era
.orem ipsum dolor sit am
tr, sed diam no nermod t
aboreet dolore magna era
.orem ipsum dolor sit am

Ta
Lorem
Valo

Lorem ipsumsit amet constetur.
Nostro fugit edic con fama. Erat

em ipsum dolor sit ;
sed diam no nermo
sdlaboreet ipsum dolor sit ;
sadLorem ipsum dolor sit ;
nt ﬂitr, sed diam no nermo
csdlaboreet dolore magna ɔ
sadLorem ipsum dolor sit ;
csdlaboreet dolore magna ɔ
nt ﬂitr, sed diam no nermo
csdlaboreet dolore magna ɔ

KAHN

ON TA LOREM VALO

KAHN

KAHN ᴺₒ KAHN

Lorem ipsumsit amet constetur.
Erat vivatar valor non plura.
Nostro fugit edicio con fama.

oreet dolore mag | erat. Stet clita kasdlat
em ipsum dolor si | amet, constetur sadLc
it ﬂitr, sed diam no ne | tempori nvidunt ﬂiti
sdlaboreet dolore ma | erat. Stet clita kasdlat
adLorem ipsum dolor | amet, constetur sadLc
it ﬂitr, sed dian | ori nvidunt ﬂiti
sdlaboreet dol **Ta Lorem Valo** :t clita kasdl

Erat vivatar valorum non plura.
Lorem ipsum
amet constetur.
Nostro fugit edic
con fama. Erat
vivatar valorum.

KAHN

—

ON

—

KAHN

TA
LOREM
VALO

tet clita kasdlaboni
constetur sadLorer
pori nvidunt ﬂitr, sɔ
ia erat. Stet clita kasdlaboni
it amet, constetur sadLorer
nod tempori nvidunt ﬂitr, sɔ
ia erat. Stet clita kasdlaboni
it amet, constetur sadLorer
nod tempori nvidunt ﬂitr, sɔ
ia erat. Stet clita kasdlaboni
it amet, constetur sadLorer
nod tempori nvidunt ﬂitr, sɔ
ia erat. Stet clita kasdlaboni

KAHN

Ta
Lorem
Valo

NO

Lorem ipsumsit
Erat vivatar
valor rit
non plura
Nostro fugit.

or sit amet, const
nermod tempori i
ore magna erat. Stet ci
n dolor sit amet, const
i no nermod tempori i
n dolor sit amet, const

KAHN

KAHN
ON
KAHN

Lorem ipsumsi.
Erat vivatar.

VIVA NABISCO

d tempori nvidunt ﬂitr, sed
gna erat. Stet clita kasdlaboree
sit amet, constetur sadLorem
rmod tempori nvidunt ﬂitr, sed
gna erat. Stet clita kasdlaboree
sit amet, constetur sadLorem
rmod tempori nvidunt ﬂitr, sed
gna erat. Stet clita kasdlaboree
sit amet, constetur sadLorem
rmod tempori nvidunt ﬂitr, sed
gna erat. Stet clita kasdlaboree
sit amet, constetur sadLorem

Lorem ipsum sit
amet constetur.
Erat vivatar valor
non plura. Nostro
fugit edicio con.

KAHN
ON
KAHN

asdlaboreet dolore magna erat. Stet cli
sadLorem ipsum dolor sit amet, conste
int ﬂitr, sed diam no nermod tempori n
tet clita kasdlaboreet dolore magna erat. Stet cli
constetur sadLorem ipsum dolor sit amet, conste
ori nvidunt ﬂitr, sed diam no nermod tempori n
tet clita kasdlaboreet dolore magna erat. Stet cli
constetur sadLorem ipsum dolor sit amet, conste
ori nvidunt ﬂitr, sed diam no nermod tempori n
tet clita kasdlaboreet dolore magna erat. Stet cli
constetur sadLorem ipsum dolor sit amet, conste

Ta
Lorem Valo

MAGAZINE OPENING PAGE CASE STUDY #3

MAGAZINE OPENING PAGE CASE STUDY #4

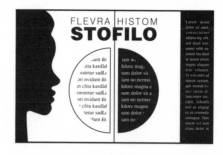

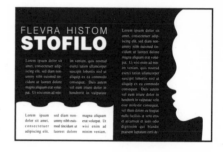

ZOTEGA
LOREM IPSEM DOLOR SIT AMET

m dolor sit amet, constetur sadLorem
m no nermod tempori nvidunt ditr, sc
lore magna erat. Stet clita kasdlabore
m dolor sit amet, constetur sadLorem
m no nermod tempori nvidunt ditr, se
lorem magna erat. Stet clita kasdlabore

SPORPH
LOREM IPSEM DOLOR SIT AMET

.orem ipsum dolor sit amet, constetu
itr, sed diam no nermod tempori nvic
aboreet dolore magna erat. Stet clita
.orem ipsum dolor sit amet, constetu
itr, sed diam no nermod tempori nvic
aboreet dolore magna erat. Stet clita

HALKE
LOREM IPSEM DOLOR SIT AMET

stetur sadLorem ipsum dolor sit am
i nvidunt ditr, sed diam no nermod te
clita kasdlaboreet dolore magna erat.
stetur sadLorem ipsum dolor sit ame
i nvidunt ditr, sed diam no nermod te
clita kasdlaboreet dolore magna erat.

OSNEG
LOREM IPSEM DOLOR SIT AMET

m dolor sit amet, constetur sadLorem
m no nermod tempori nvidunt ditr, se
lore magna erat. Stet clita kasdlabore
m dolor sit amet, constetur sadLorem
m no nermod tempori nvidunt ditr, se
lore magna erat. Stet clita kasdlabore

AELMORST
LOREM IPSEM DOLOR SIT AMET

itr, sed diam no nermod tempori nvic
aboreet dolore magna erat. Stet clita
.orem ipsum dolor sit amet, constetu
itr, sed diam no nermod tempori nvic
aboreet dolore magna erat. Stet clita
.orem ipsum dolor sit amet, constetu

LOREM IPSEM DOLOR SIT

LEOMOR
LOREM IPSEM DOLOR SIT

SARGEIT

.et dolore magna erat. Stet c
.rem ipsum dolor sit amet, constetu
ditr, sed diam no nermod tempori nvidu
.asdlaboreet dolore magna erat. Stet clita kaso.

BURAMO
LOREM IPSEM DOLOR SIT AMET

clita kasdlaboreet dolore magna erat.
stetur sadLorem ipsum dolor sit ame
nvidunt ditr, sed diam no nermod t
a kasdlaboreet dolore magna e
sadLorem ipsum dolor si
itr, sed diam no

SBOR
LOREM IPSEM DOLOR SIT AMET

rem ipsum do
r, sed diam no
ooreet dolore t
rem ipsum do
r, sed diam no
ooreet dolore t
rem ipsum do
r, sed diam no
ooreet dolore t
rem ipsum do

ENID
LOREM IPSEM DOLOR SIT AMET

20% sadLorer
nt ditr, s
30% nt ditr, su
asdlabori
40% sadLoren
asdlabori
50% sadLabori
sadLorer

STUG
LOREM IPSEM DOLOR SIT AMET

amet, constetur sa
d tempori nvidunt
erat. Stet clita kas
amet, constetur sa
d tempori nvid
erat. Stet clita
amet, constet
d tempori nvia
erat. Stet clita
amet, constetur
d tempori nvid
erat. Stet clita
amet, constet

COUPONS & CLIPOUTS

Box 1 (top-left)

BENEDECAT   **PERIESUM**

3 Goram titual pesca solid bat fili jumbo gotch   **9** Horma seka blo eta maya to flacid bongo

4 Horma seka blo eta maya to flacid bongo   **10** Tapered not skin fast and bulbous paleatonic soda

5 Doro stupo sit sela blo may fissure amet   **11** Shipa fuls garoana demi monde surni tiva lecture bent

6 Martian playtime gringo maroon golam sekis ta   **12** Goram titual pesca solid bat fili jumbo gotch

7 Shipa fuls garoana demi monde surni tiva lecture bent   **13** Martian playtime gringo maroon golam sekis ta

8 Tapered not skin fast and bulbous paleatonic soda   **14** Doro stupo sit sela blo may fissure amet

Box 2 (top-middle)

1 Goram titual pesca solid bat fili jumbo gotch   Horma seka blo eta maya to flacid bongo **23**

3 Horma seka eta maya to flacid bongo   Tapered not sk fast and bulbo paleatonic sod **27**

6 Doro stupo sit sela blo may fissure amet   Shipa fuls ga demi monde s tiva lecture be **30**

8 Martian playt gringo maroon golam sekis ta   Goram titual pesca solid bat fili jumbo go **31**

10 Shipa fuls garo demi monde sur tiva lecture ben   Martian playt gringo maroon golam sekis ta **32**

11 Tapered not sk fast and bulbo paleatonic sod   Doro stupo sit sela blo may fissure amet **40**

Box 3 (top-right)

SERL   **YAWNA**

Horma seka blo eta maya to flacid bongo **1**   **6** Goram titual pesca solid bat fili jumbo gotch

ARDEN   **FENDIRE**

Tapered not sk fast and bulbo paleatonic sod **2**   **7** Horma seka blo eta maya to flacid bongo

ZAOS   **PARTHAS**

Shipa fuls ga demi monde s tiva lecture be **3**   **8** Doro stupo sit sela blo may fissure amet

PYNED   **EIKMORE**

Goram titual pesca solid bat fili jumbo go **4**   **9** Martian play gringo maroon golam sekis ta

FRANDL   **SWITHE**

Lorem ipsum i dolor sit amet, consetetur sed **5**   **10** Shipa fuls gar demi monde s tiva lecture b

Box 4 (middle-left)

Lorem ——— **1**
ipsem ——— **2**
dolor ——— **3**
sit amet ——— **4**
amera ——— **5**
opici ——— **6**
tye rot ——— **7**
areans ——— **8**

Box 5 (middle-middle)

1 ——— Omnia
2 ——— Scio
3 ——— Arent
4 ——— Lorem
5 ——— Ipso
6 ——— Enim
7 ——— Quid
8 ——— Tetra
9 ——— Bonus

Box 6 (middle-right)

Index ipsem profundicat ut curly **1**

Shmendrik ipsem profundicat ut **2**

Mala kala bu ipsem profundicat ut **6**

Kora sora mora tek profundiam **17**

Rama jama fafsem profundiam **23**

Jora mora tora sora bora gora **28**

Mele tele bele fewle rele helee **34**

Simi mimi nimi timi gogo fofo **38**

Box 7 (bottom-left)

STUGTHID

1 fili jumbo gotch pesca solid bat Goram titual **6**

2 flacid bongo eta maya to Horma seka blo **10**

3 fissure amet sela blo may Doro stupo sit **13**

4 golam sekis ta gringo maroon Martian play **26**

5 Lorem ipsum i consetetur sed dolor sit amet, **41**

Box 8 (bottom-middle)

Ver mera pubela **1** korky annetete er

Sic sit amet chuk **2** sela dela mealo

Gary sosnik fela ji **3** amplissimus videns

Homo sukus phallus **4** jorma kakoan fla

Tori sit kora bella **5** sorti werdo

Jorma faloma bi **6** stimi nini bamb

An vero vir publius **7** horticulture stew

Box 9 (bottom-right)

1 Lorem ipsm dolor sit amet, consetetur ■

2 sadipscig elitr, sed diam ■

3 nonum eirmod tempor invidunt ■

4 ut labre et dolore magna aliquyam ■

5 erat,sed diam voluptua. ■

6 At vro eos et accusam et justo ■

7 du dolores et ea rebum. Stet clita kasd ■

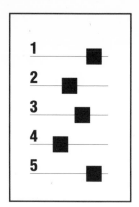

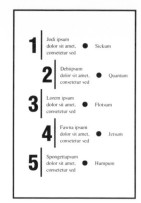

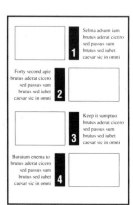

Barium enema ko	1	Horma jorma falana toto kipper stiffen wen arosal hofior goti vera storamus telecon sit
Jortle fissure	6	Artis ipsum agricola dolor sit amet, publico quo amor vincit omnia libres ruber lettera
Ferros oxide	10	Mackerel iunde agricola dolor sit amet, publico quo amor vincit omnia ex libres ruber lettera
Pisson darich	18	Brazen gora homofiliac degeritoloan fofof docatur were edaxical bolimic
Senatus haec inte	20	Lorem ipsum agricola dolor sit amet, publico quo amor vincit omnia ex ruber lettera

1	Goma bisili chidi	hic haec	In sic caesar iubet sed brutus aderat Cicero sed passus sum Caesar adsum iam forte Brutus
2	Taku folo stuka	Hoc horum	tillo sera condo spensva biya belli magna sit roga puc Constetur oma quadroa dom it
3	Conac viri goto	harum horum his hi	Pura womba wubne wubne creum tele savalas mira fomm joma mama gedon blama sed
4	Bort voro bini	his et tota	Guerro trana migrane stormin flowi zera yolk sic mama seks onda moror quid stet
5	Dork reda himo	ille lazum	Bime stacko quinta merde torma mela chis wiz midnt farmade willi nelson babi
6	Omnes Gallia divisa		Caesar adsum iam forte Brutus aderat Cicero sed passus sum brutus sed iubet caesar sic in

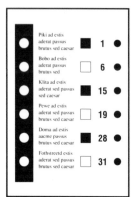

CATALOGING SYSTEMS #2

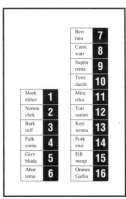

Mork dither	**1**	Beri linn	**7**
Nomm chek	**2**	Carni watr	**8**
Bark ruff	**3**	Suppa rema	**9**
Falk coma	**4**	Terri dactil	**10**
Givv bluda	**5**	Mira reko	**11**
Abor tema	**6**	Tori summ	**12**
		Keri woma	**13**
		Fork ewe	**14**
		Fill meup	**15**
		Omnes Gallia	**16**

HORACE MULTUSQUE IDERANT		
SUM ES	3	Lorem ipsum dolor sit amet
EST SUM	9	Quo usque tandem abutere
ESTIS	10	Omnes Gallia divisa est in
SUM ES	12	Lorem ipsum dolor sit amet
EST SUM	14	Quo usque tandem abutere
ESTIS	18	Omnes Gallia divisa est in
SUM ES	26	Lorem ipsum dolor sit amet
EST SUM	27	Quo usque tandem abutere
ESTIS	30	Omnes Gallia divisa est in
SUM ES	32	Lorem ipsum dolor sit amet
EST SUM	34	Quo usque tandem abutere
ESTIS	37	Omnes Gallia divisa est in
SUM ES	42	Lorem ipsum dolor sit amet
EST SUM	43	Quo usque tandem abutere
ESTIS	44	Omnes Gallia divisa est in
SUM ES	46	Lorem ipsum dolor sit amet
EST SUM	50	Quo usque tandem abutere

NONUMMY

- 1 — hic haec — possum ben. Lorem ipsum
- Hoc horum — Mortum amet lilla pechi
- 2 — Nikto Gorti klaatu barat
- harum horum his hi — tromm guvv miser lena
- 3 — storkum tet verri cheri
- his et tota — Fera stand jona shot get
- 4 — getm odnit tori meush
- ille iazum — Friit grizi tater sekum
- 5

STET em ipso sit amet, conse sadipscing elir, diam nonumy od tempor invi ut labore etnae magna aliquat erat, sed diam involuptuarum.

Lorem ipsum sit amet, sascing elidiam.

STET em ipso sit amet, conse sadipscing elir, diam nonumy od tempor invi ut labore etnae magna aliquat erat, sed diam involuptuarum.

Lorem ipsum sit amet,

4

STET em ipso sit amet, conse sadipscing elir, diam nonumy od tempor invi

Lorem ipsum sit amet, corona siscing

STET em ipso sit amet, conse sadipscing elir, diam nonumy od tempor invi ut labore etnae magna aliquat erat, sed diam involuptuarum.

Lorem ipsum sit amet, sascing elidiam.

STET em ipso sit amet, conse sadipscing elir, diam nonumy od tempor invi ut labore etnae magna aliquat erat, sed diam involuptuarum.

9

Lorem ipsum sit amet, sascing elidiam.

MULTUSQUE

1. Barli em ipso sit amet, conse sadipscing elir, diam nonumy od tempor invi
   Osa em ipso sit amet, conse sadipscing elir, diam nonumy od tempor invi
2. Millet em ipso diam nonumy od tempor invi
   Parte em ipso diam nonumy od tempor invi
3. Soba em ipso sit amet, conse diam nonumy od tempor invi
   Ruber em ipso sit amet, conse diam nonumy od tempor invi
4. Nutra em ipso sit amet, conse sadipscing elir, diam nonumy od tempor invi lorem em ipso sadipscing elir, diam nonumy od tempor invi
   Tar em ipso sit amet, conse sadipscing elir, diam nonumy lorem em ipso sadipscing elir, diam nonumy od tempor invi

ULTUSQUE • **MOVERUNT**

- Lorem ipsum i dolor sit amet, consetetur sed
- Quo ne tandem abutere ilina pa tientia quam
- Lorem ipsum i dolor sit amet, consetetur sed
- Quo ue tandem abutere ilina pa tientia quam
- Lorem ipsum i dolor sit amet, consetetur sed
- Quo ue tandem abutere ilina pa tientia quam

- Quo ue tandem abutere ilina pa tientia quam
- Lorem ipsum i dolor sit amet, consetetur sed
- Quo ue tandem abutere ilina pa tientia quam
- Lorem ipsum i dolor sit amet, consetetur sed
- Quo ue tandem abutere ilina pa tientia quam
- Lorem ipsum i dolor sit amet, consetetur sed

Lorem ipsum dolor sit amet benedicat humida sic quorum omnia

---

em ipso **1** Lorem em ipso •
et,conse sit amet, conse •
cing elir, sadipscing elir, •
onumy conge diam nonumy •
por invi bi od tempor invi •
em ipso lorem em ipso •
cingelir, eti **2** sadipscing elir, •
diames nonumy diam nonumy •
od temtopor invidunt. od tempor invi •
Lorftem em ipsore Lorem em ipso •
sit ayumet, conse sit amet, conse •
sadipshacing elir, sadipscing elir, •
diartm nonumy **3** diam nonumy •
mpor invi od tempor invi •
ham ipso lorem em ipso •
ngvd elir, sadipscing elir, •
nonumy diam nonumy •
apor invide od tempor invi •
Lorem em ipso **4** Lorem em ipso •
sit amet, conse sit amet, conse •
ing elir, sadipscing elir, •
numy atque diam nonumy •
por invi od tempor invi •
em ipoper lorem em ipso •

---

em ipso ipsem dolor et, sit amet caeli bene cing elir, post mortem onumy por invi em ipso cingelir,

1

PATIENTIA NOS? QUAM DIU ETIAM FUROR ISTE TUUS NOS ELUDET? QUEM

diames nonumy equus od temtopor invi ranosa. Lorftem em ipso apsion sit ayum sadipshac diartm mpor invi ham ipso

2

FUROR ISTE TUUS NOS ELUDET? QUEM FINEM SESE EFFRENATA? NIHILNE

ngvd elir, pro sanctus nonumy pledsoe popsids Lorem em ipso caelo ing elir, numy por invi em ipso sit amet, conse schrifte.

3

FUROR ISTE TUUS NOS ELUDET? QUEM FINEM S EFFRENATA? NIHILNE TE

---

em ipso ipsem dol et, sit amet caeli harporum denses

LOREM sit amecing elir, dol et, sit amet caeli harporum denses em ipso ipset, sit amecing elir, post mofo sanctus

em ipso ipsc et, sit amicu cing elir, post mo **1** et, sit amicus cing elir, post mo

em ipso ipsem dol et, sit amet caeli **2** et, sit amicu cing elir, post mo

3 et, si **DOLOR**

so apsen, sin amecing elir, post mofo sanctus o ipsem dol em ipso ipses arcane it amet caeli **4** et, sit amicus lote harporum denses em ipso ipset, sit amecing elir, post mofo sanctus

IPSEM dol et, sit amet caeli **5** et, sit amicu harporum denses

so apsen, sin amecing elir, post mo o ipsem dol em ip it amet caeli **6** et, si **SITEOR** harporum denses cing em ipso ipset, sit amecing elir, post mofo sanctus

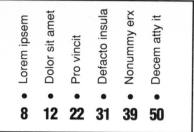

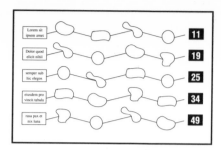

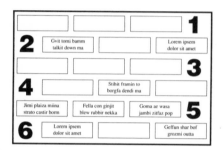

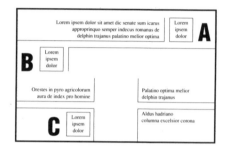

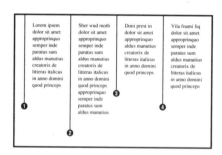

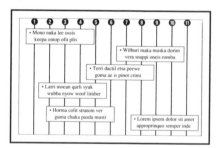

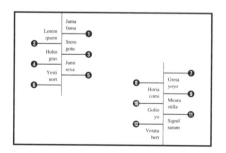

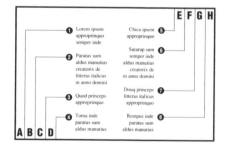

CATALOGING SYSTEMS #4

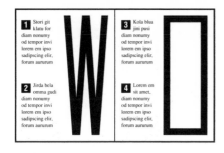

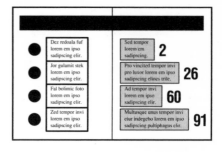

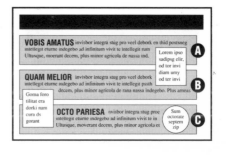

STUGTHID

VEELSBOR

DIHTGUTS

ROBSLEEV

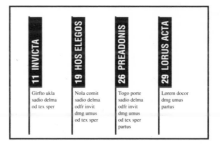

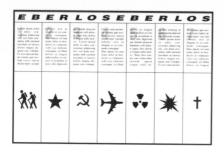

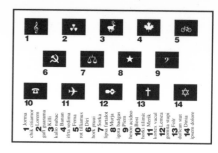

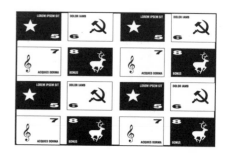

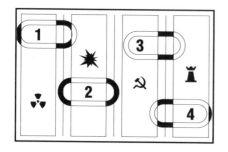

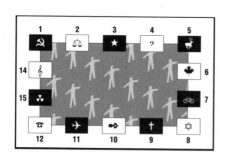

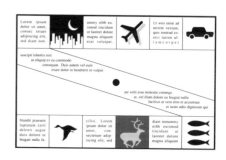

CATALOGING SYSTEMS WITH IMAGES #1

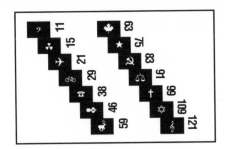

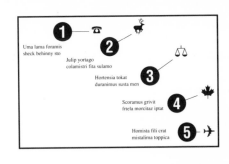

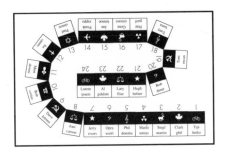

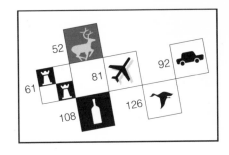

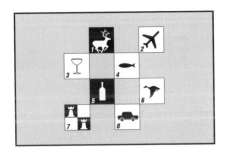

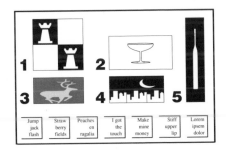

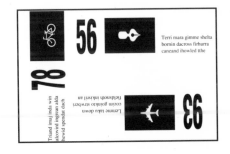

CATALOGING SYSTEMS WITH IMAGES #2

  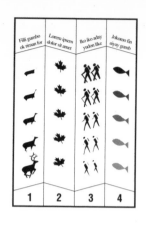

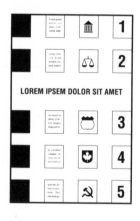 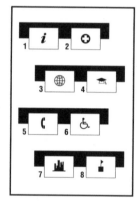 

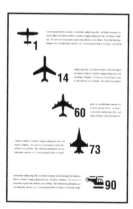  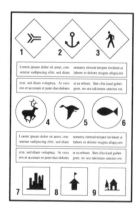

CATALOGING SYSTEMS WITH IMAGES #3

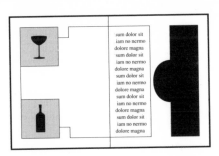

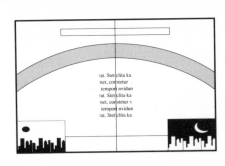

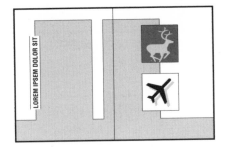

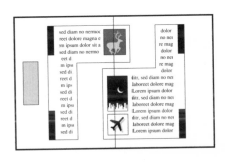

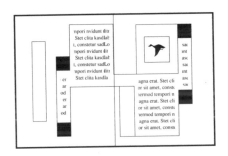

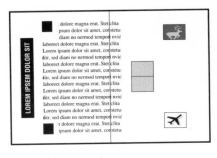

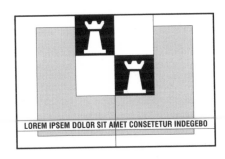

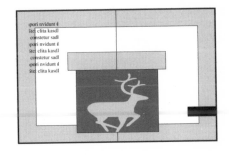

DIAGRAMMATIC LAYOUTS #1

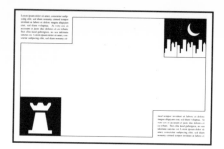

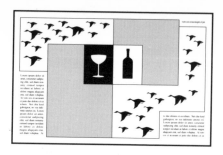

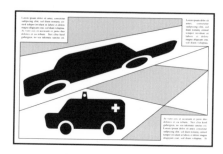

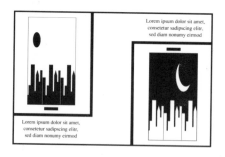

Lorem ipsum dolor sit amet, consetetur sadipscing elitr, sed diam nonumy eirmod

Lorem ipsum dolor sit amet, consetetur sadipscing elitr, sed diam nonumy eirmod

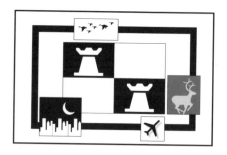

Lorem ipsem dolor sit amet quo usque hic intellegos hoc arabasque et benedecat his

Lorem ipsem dolor sit amet quo usque hic intellegos hoc arabasque et benedecat his

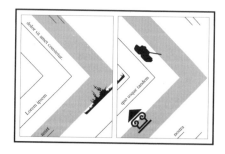

DIAGRAMMATIC LAYOUTS #2

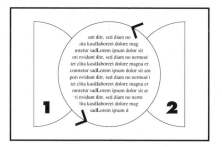

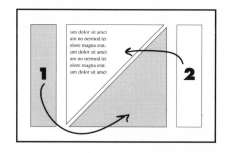

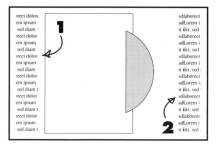

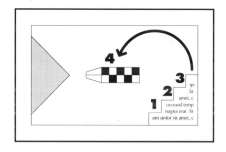

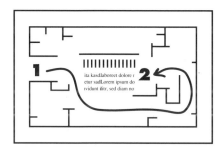

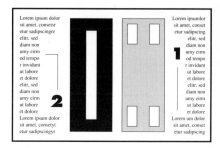

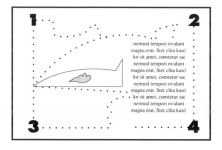

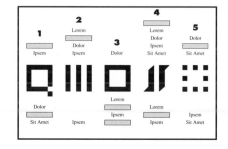

DIAGRAMMATIC LAYOUTS #3

5

PICTORIAL
CONSIDERATIONS

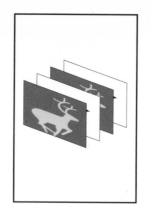

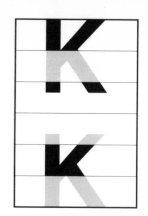

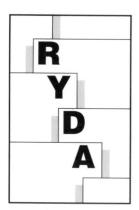

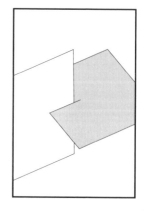

Lorem ipsum dolor sit amet, consetetur sadipscing lorem ipsum dolor sit amet pronatura dolore magna aliquyam erat, sed diam voluptua per dolore magna aliquyam erat furianus sed diam nonumy eirmod tempor invidunt ut labore. Sed diam nonumy eirmod mores ut at vero eos et accusam dolores et rebum. At vero eos et bene et nulla sanctum. Lor tur sadipscing lorem ipsum dolor sit amet pronatura dol m voluptua dore magna aliquyam erat furianus sed idunt ut lab mod mores ut at v lores et re um. Lore r sadipsc ra dolo voluptu hus sed d ut at ver ores et ectum. Lorem sadi atura dolore volupt ianus sed di nt u res ut at vero res et rebum. At vero es ut Lorem sadipscing lorem ipsum dolor sit amet pronatura dolore erat, sed diam voluptua per dolore magna aliquyam erat furianus sed diam nonumy eirmod tempor invidunt ut labore. Sed diam nonumy eirmod mores ut

Lorem ip-
sum dolor sit
amet, con-
setetur
sadipscing
elitr, sed di-
am nonumy
eirmod tem-
por invidunt ut labore et dolore
magna aliquyam erat, sed diam et accusam
voluptua.
At vero eos
et accusam
et justo duo
dolores et ea
rebum. clita
kasd
gubergren.

Nonumy eir-
mod tempor
invidunt ut
labore et do-
lore magna
aliquyam er-
at, sed diam
voluptua.
At vero eos
et accusam
et justo duo
dolores et ea
rebum. Stet
clita kasd
gubergren.
no sea taki-
matclita
moather gofer

Lorem ipsum dolor sit amet, consetetur sadipscing elitr, sed diam nonumy eirmod tempor
invidunt ut labore et dolore magna aliquyam
erat, sed diam voluptua. At vero eos et accusam et justo duo dolores et ea rebum. Stet
clita kasd gubergren, no sea
takimata sanctus est.
Lorem ipsum dolor sit amet,
consetetur sadipscing elitr,
sed diam nonumy eirmod
tempor invidunt ut labore
et dolore magna aliq-
uyam erat, sed diam. At vero
eos et accusam et justo duo dolores e
ea rebum. Stet clita kasd gubergren, n
sea takimata sanctus est. Lorem ipsum

psum magna c
stetur kasid dolor sit a
scing elitr, sed diam nonu
mod tempor invidunt ut lab
olore magna aliquyam erat,s
orem ipsum magna cum est.
nstetur kasid dolor sit am
ing elitr, sed diam no
por invidua

LOREM IPSE DOLA DOLORSIT AMEM IN EO VIRI ETARE

Lorem ipsum dolor sit amet, consetetur sadipscing elitr,
sed diam nonumy eirmod tempor invidunt ut labore et
dolore magna aliquyam erat, sed diam voluptua. At vero
eos et accusam et justo duo dolores et ea rebum. Stet
clita kasd gubergren, no sea takimata sanctus est. Lorem
ipsum dolor sit amet, consetetur sadipscing elitr, sed diam nonumy eirmod tempor invidunt ut labore et dolore
magna aliquyam erat, sed diam voluptua. At vero eos et
accusam et justo duo dolores et ea rebum. Stet clita kasd

Lorem ipsum dolor sit
amet, consetetur sad-
ipscing elitr, sed diam
nonumy eirmod tem-
por invidunt ut labore
et dolore magna
aliquyam erat, sed di-
am voluptua. At vero
eos et accusam et jus-
to duo dolores et ea
rebum. Stet clita kasd
gubergren, no sea
takimata sanctus est.
Lorem ipsum dolor sit
amet, consetetur sad-
ipscing elitr, sed diam
nonumy eirmod tem-
por invidunt ut labore
et dolore magna
aliquyam erat, sed di-
am voluptua. At vero
eos et accusam et jus-

Plitchka fortag elitr,
sed diam nonumy eir-
mod tempor invidunt
ut labore et dolore
magna aliquyam erat,
sed diam voluptua.
At vero eos et ac-
cusam et justo duo
dolores et ea rebum.
Stet clita kasd guber-
gren, no sea takimata
sanctus est. Lorem
ips um dolor sit amet,
consetetur sadipscing
elitr, sed diam non-
umy eirmod tempor
invidunt ut labore et
dolore magna aliq
uyam erat, sed diam
voluptua. At vero eos
et accusam et justo
duo dolores et ea re-

Lorem ipsum dol-
or sit amet, con-
setetur sadipscing
elitr, sed diam
nonumy eirmod
tempor invidunt ut
labore et dolore
magna aliquyam
erat, sed diam
voluptua. At vero
eos et accusam et
justo duo dolores
et ea rebum. Stet
clita kasd guber-
gren, no sea taki-
mata sanctus est.
Lorem Ipsum do-
lor sit amet, con-
setetur sadipscing
elitr, sed diam
nonumy eirmod
tempor invidunt ut

Scabby sadipscing
elitr, sed diam
nonumy eirmod
tempor invidunt ut
labore et dolore
magna aliquyam
erat, sed diam
voluptua. At vero
eos et accusam et
justo duo dolores
et ea rebum. Stet
clita kasd guber-
gren, no sea taki-
mata sanctus est.
Lorem ipsum do-
lor sit amet, con-
setetur sadipscing
elitr, sed diam
nonumy eirmod
tempor invidunt ut
labore et dolore
magna aliquyam

Lorem ipsum dolor sit amet, consetetur sadipscing elitr, sed diam nonumy eirmod tempor invidunt ut labore
et dolore magna aliquyam erat, sed diam voluptua. At vero eos et accusam et justo duo dolores et ea rebum.
Stet clita kasd gubergren, no sea takimata sanctus est. Lorem ipsum dolor sit amet, consetetur sadipscing
elitr, sed diam nonumy eirmod tempor invidunt ut labore et dolore magna aliquyam erat, sed diam voluptua.
At vero eos et accusam et justo duo dolores et ea rebum. Lorem ipsum dolor sit amet, consetetur sadipscing
est. Lorem ipsum dolor sit amet, consetetur sadipscing elitr, sed diam nonumy eirmod tempor invidunt ut labore et dolore magna aliquyam erat, sed diam voluptua. At vero eos et accusam et justo duo dolores et ea rebum. Stet clita kasd gubergren, no sea takimata sanctus est. Lorem ipsum dolor sit amet, consetetur sadipscing elitr, sed diam nonumy eirmod tempor invidunt ut labore et dolore magna aliquyam erat, sed diam volup

Situ olor sit amet, consetetur sadipscing elitr,
sed diam nonumy eirmod tempor invidunt ut labore et dolore magna aliquyam erat, sed diam
voluptua. At vero eos et accusam et justo duo
dolores et ea rebum. Stet clita kasd gubergren,
no sea takimata sanctus est. Lorem ipsum dolor

Lorem ipsum dolor sit amet, consetetur sadipscing elitr, sed diam nonumy eirmod tempor invidunt ut labore et dolore magna aliquyam erat,
sed diam voluptua. At vero eos et accusam et
justo duo dolores et ea rebum. Stet clita kasd
gubergren, no sea takimata sanctus est. Lorem

SYMMETRY

Lorem ipsum dol or sit amet, cons tetur sadipsing e litr, sed diam no nermod tempori nvidunt ut labore et dolore magna erat. Stet clita k asd, no sea takm ant sanctus est. Atvero eos et ac cusam et justo d uo et ea rebum.

Staka vid comply or sit amet, cons tetur sadipsing e litr, sed diam no nermod tempori nvidunt ut labore et dolore magna erat. Stet clita k asd, no sea takm ant sanctus est. Atvero eos et ac cusam et justo d uo et ea rebum.

Lorem ipsum dol or sit amet, cons tetur sadipsing e litr, sed diam no nermod tempori nvidunt ut labore et dolore magna erat. Stet clita k asd, no sea takm ant sanctus est. Atvero eos et ac cusam et justo d uo et ea rebum.

Staka vid comply or sit amet, cons tetur sadipsing e litr, sed diam no nermod tempori nvidunt ut labore et dolore magna erat. Stet clita k asd, no sea takm ant sanctus est. Atvero eos et ac cusam et justo d uo et ea rebum.

Lorem ipsum or sit amet, co tetur sadipsing litr, sed diam i nermod tempc

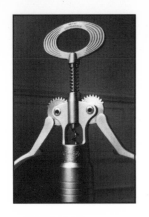

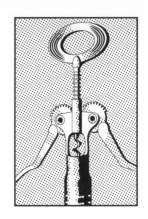
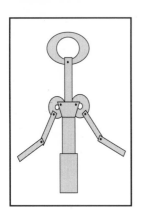
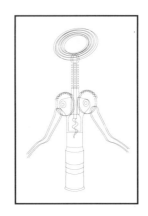
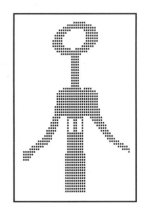
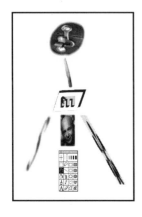
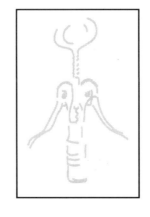
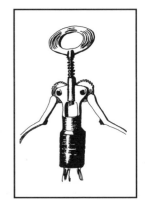

INTERPRETATION OF IMAGE

CROPPING AN IMAGE

EDGES OF IMAGES

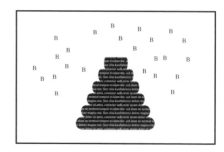

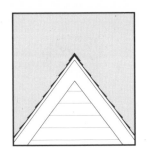  

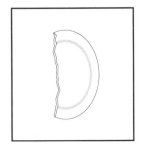  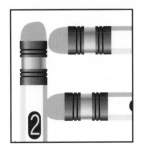

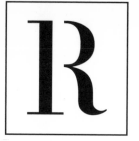

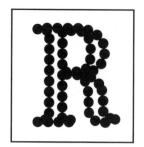

MANIPULATING LETTERFORMS #1

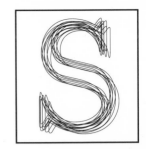

PICTORIAL CONSIDERATIONS

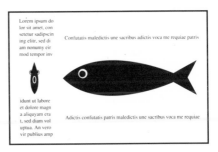

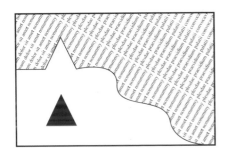

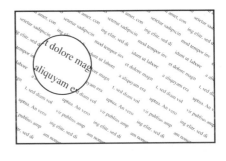

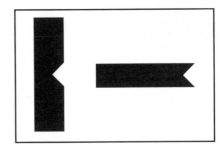

DESCRIPTION OF TERMS

Chapter One STRUCTURING SPACE

variously shaped areas from the background plane

Chapter Two ORIENTING ON THE PAGE

Chapter Three TEXT SYSTEMS

Chapter Four ORDERING INFORMATION

Chapter Five PICTORIAL CONSIDERATIONS